D1445275

TANDEM 3

Gilles Champagne
Danièle Mallette
Colette Gingras Pellerin

Mathématique
3e année

Manuel B

GRAFICOR
MEMBRE DU GROUPE MORIN

171, boul. de Mortagne, Boucherville (Québec) J4B 6G4
Tél.: (450) 449-2369 • Téléc.: (450) 449-1096

Données de catalogage avant publication (Canada)

Champagne, Gilles

Tandem 3. Manuel A - Manuel B

Pour les élèves de la troisième année de l'élémentaire.

ISBN 2-89242-306-6 (v. 1) — ISBN 2-89242-307-4 (v. 2)

1. Mathématiques — Ouvrages pour la jeunesse.
I. Pellerin, Colette, G., date.   II. Mallette, Danièle, date.
III. Titre.   IV. Titre: Tandem trois.

QA107.C43 1993   510   C93-096304-0

Révision scientifique
Blozaire Paul

Révision linguistique
Mireille Côté

Conception graphique, illustrations et page couverture
Robert Dolbec

Nous remercions les enseignantes et les enseignants
des commissions scolaires Taillon et des Cantons qui
ont expérimenté et commenté le matériel.

© 1993 Les publications Graficor (1989) inc.
   Tous droits réservés

Dépôt légal 4e trimestre 1993
Bibliothèque nationale du Québec

Imprimé au Canada   45678—9

ISBN 2-89242-307-4

Bonjour,

En troisième année, tu apprendras à mieux comprendre les problèmes que tu lis. Tu auras recours aux stratégies que tu connais déjà pour représenter les données d'un problème :

- utiliser des objets;

- faire un dessin;

- écrire à l'aide de symboles.

Tu découvriras aussi d'autres stratégies et tu apprendras de nouveaux symboles (x et ÷).

Souviens-toi de la signification de ces pictogrammes :

  , tu peux utiliser ton matériel pour t'aider à résoudre le problème;

  , tu peux illustrer le problème;

  , tu peux écrire les symboles mathématiques que tu as appris;

  , tu prends ton temps, tu réfléchis, tu cherches bien. Attention, il peut y avoir des indices... bien cachés.

Bon travail !

TABLE DES MATIÈRES

cinq **5**

Légende

Section A La numération
Section B Les opérations
Section C Les diagrammes et la géométrie
Section D La mesure
Section E Des problèmes

JOURNÉE DE PLEIN AIR

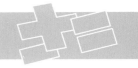

Loïc, Julie, Vincent, Véronique et leurs amis partent pour une journée de ski de fond. Ils forment des groupes et se partagent les provisions de nourriture. Aide-toi de tes cordes et de tes jetons pour répondre aux questions.

1.
Le parc offre un circuit de 10 km divisé en cinq pistes égales. Quelle est la longueur de chaque piste ?

2. Trouve combien il y a de personnes en tout.
Les amis forment des équipes de 4.
Il y a trois équipes.

3.
L'équipe de Loïc a apporté 8 arachides. Elle donne 2 arachides à chaque écureuil qu'elle rencontre. Combien d'écureuils pourra-t-elle nourrir ?

4. Julie et ses amis ont 12 bouts de pain.
Ils déposent le même nombre de bouts de pain dans chacune des quatre mangeoires d'oiseaux.
Combien y a-t-il de bouts de pain dans chaque mangeoire ?

5.
Les amis ont apporté 24 clémentines. Il y en a 8 par sac. Combien cela fait-il de sacs ?

6. Au cours de la journée, Vincent et ses amis ont vu trois groupes de 6 mésanges. Combien cela fait-il de mésanges en tout ?

À la librairie Soissons, on vend des crayons de fantaisie
dans des emballages variés.
Observe les différents paquets offerts et résous les problèmes
en t'aidant de tes cordes et de tes jetons.

1. Félix achète 10 crayons.
   Donne la description de ses achats.

2. Est-ce que Pablo peut acheter 11 crayons
   en prenant uniquement des paquets de 3 ?
   Justifie ta réponse.

3. Andrée a acheté 6 crayons de fantaisie.
   Trouve toutes les possibilités d'achat d'Andrée.

4. Tania a choisi deux paquets de 6 crayons.
   Combien cela fait-il de crayons ?

5. Sabin achète deux paquets de 3 crayons
   et trois paquets de 4 crayons.
   Combien de crayons aura-t-il ?

6. Christine a 22 crayons.
   Elle a des paquets de 4 et de 5 crayons.
   Décris ses paquets.

7. Compose un problème impossible semblable à celui-ci :
   Alex achète uniquement des paquets de 3 crayons.
   Il a 8 crayons.
   Combien de paquets a-t-il achetés ?

LE JEU DES ÉCHANGES

On va te remettre une planche de jeu et des cartes à jouer.
Demande à une amie ou à un ami de jouer avec toi.

Règles du jeu

- Au début de la partie, chaque joueuse ou joueur a 36 jetons.
  Il y a une trentaine de jetons dans la banque.
- La première ou le premier mêle les cartes, choisit
  une carte et fait l'échange qui y est écrit.
- C'est ensuite au tour de l'autre de prendre une carte
  et de faire l'échange demandé.
- Lorsqu'il n'y a plus de cartes, celle ou celui
  qui a le plus de jetons gagne la partie.

CARTES DE TOUT POIL

Sophie et ses amis ont formé un club
d'échange de cartes d'animaux.
Ils se rencontrent toutes les semaines.
Utilise ton matériel pour résoudre les problèmes suivants.

1.
Sophie a 4 excellentes cartes à échanger.
Pour chacune de ces cartes, elle en recevra 3.
Combien de nouvelles cartes ajoutera-t-elle
à sa collection ?

2. Vincent échange 4 cartes de sa collection
contre 8 des cartes de Julie.
Quel code d'échange ont-ils utilisé ?

3.
Combien de cartes Flavie a-t-elle remises à Marc ?
Flavie échange 1 carte contre 3 des cartes de Marc.
Marc a remis 15 cartes à Flavie.

4. Samy conclut une entente avec Myriam.
Pour chacune de ses 4 cartes, Myriam
doit lui remettre 5 cartes.
Myriam donne 15 cartes à Samy.
Samy n'est pas d'accord. Pourquoi ?

5.
Albert échange 8 de ses cartes avec Max.
Albert donne 4 cartes pour chacune des cartes de Max.
Combien de cartes Albert recevra-t-il ?

6. Sandra échange 6 de ses cartes
contre 2 des cartes de Fanny.
Quel code d'échange Sandra
et Fanny ont-elles utilisé?

7.
Combien de cartes Jasmin a-t-il données à Céline?
Jasmin doit remettre 4 cartes
pour chacune des cartes de Céline.
Céline a donné 4 cartes à Jasmin.

8. Pierre donne 6 cartes à Francine.
Francine lui en remet 6.
Quel code d'échange ont-ils utilisé?

9. Sergio échange 24 de ses cartes avec Fabienne.
Sergio doit remettre 4 cartes pour chacune
des cartes de Fabienne.
Fabienne donne 4 cartes à Sergio.
Sergio n'est pas d'accord. Pourquoi?

10.
Observe l'échange effectué par Jérôme:

CONTRE
? ?

Quel code Jérôme a-t-il utilisé?

 TROIS FORMES

Découpe les figures qu'on te distribuera.
Utilise-les pour reproduire les suites illustrées ici.
Trouve la régularité de chaque suite et ajoute
trois figures pour la continuer.

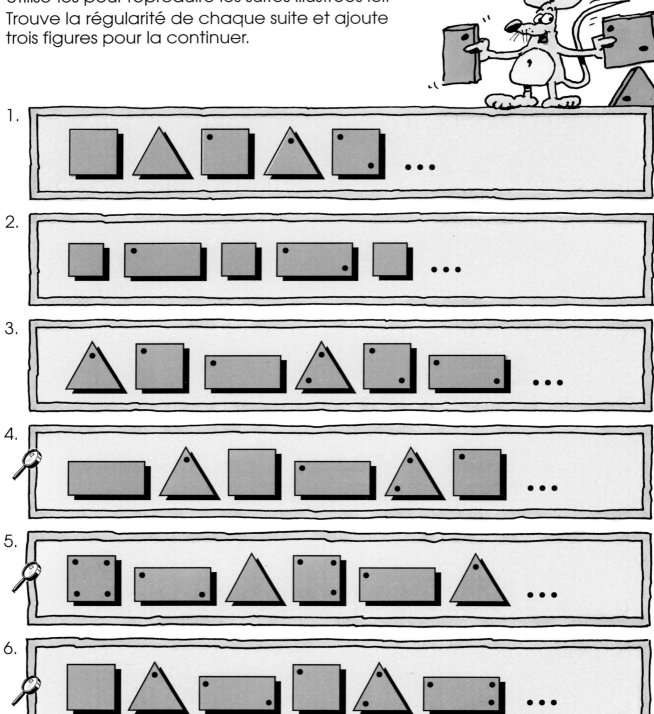

Dessine dans ton cahier deux tableaux de 4 cases sur 3 cases.
Reproduis chaque tableau avec tes figures et complète-le.

Observe les figures classées dans les diagrammes suivants.
Écris dans ton cahier la propriété qui devrait apparaître
sur chaque étiquette.

1.

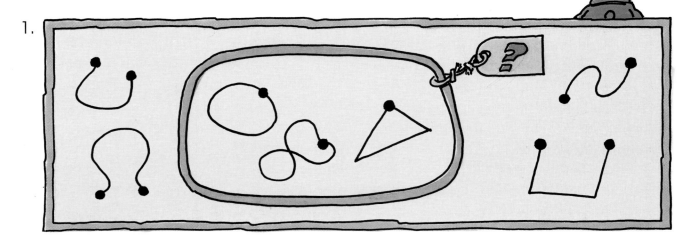

2.

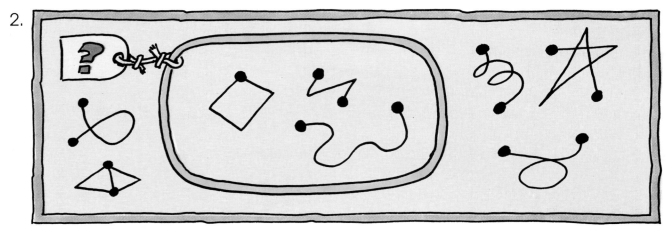

3.

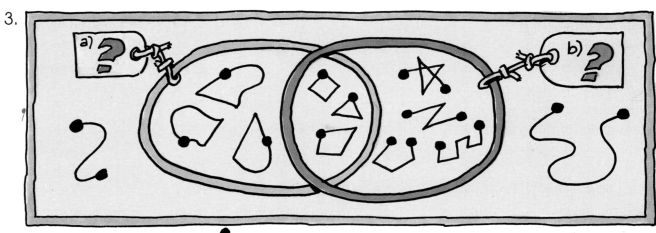

DES FIGURES SPÉCIALES

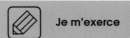

Je m'exerce

Observe les figures et les régions suivantes.

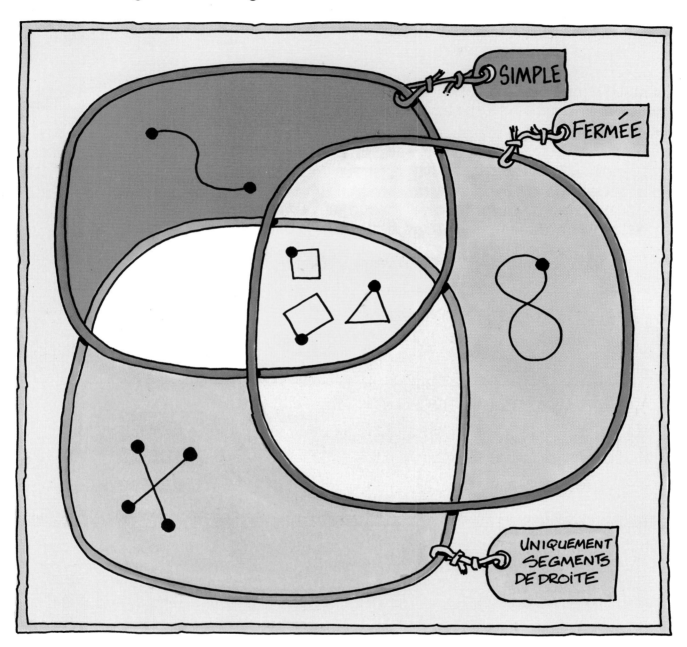

1. Quelles sont les propriétés des figures placées dans la région jaune?

2. Comment appelle-t-on ces figures?

3. Dans ton cahier, dessine une figure que tu placerais dans la région
   a) bleue   b) grise   c) blanche   d) jaune.

Dans les problèmes mathématiques,
il y a souvent des indices importants.
Il faut apprendre à les reconnaître
et surtout à bien les comprendre.
Voici quelques exemples.
Trouve le mot ou l'expression
qui demande une attention spéciale,
puis résous les problèmes.

Frédérique a 169 livres dans sa bibliothèque.
Sandra en a «autant» (c'est-à-dire le même nombre).
Combien de livres ont-elles dans leurs bibliothèques?

Tu peux faire la démarche suivante pour trouver la réponse.

$$
\begin{array}{r}
169 \quad \text{(livres de Frédérique)} \\
+ \ \underline{169} \quad \text{(livres de Sandra)} \\
338 \\
\end{array}
$$

La réponse est donc 338 livres.

Reprends l'exemple en remplaçant
«autant» par «plus»; «moins».

Que remarques-tu?

---

1. Au rallye automobile, ma mère a fait le parcours en 208 minutes.
   Ma tante a fait le même parcours en 197 minutes.
   Qui est la plus rapide?

2. Mario a accumulé 376 points au jeu vidéo. Carl en a 8 de plus.
   Quelle différence y a-t-il entre les deux résultats?

3. Maxime a 53 cartes de moins que Geneviève. Maxime a 246 cartes.
   Combien Geneviève a-t-elle de cartes?

4. Jacques et les 22 élèves de sa classe vont au zoo.
   Combien de billets d'entrée Jacques demandera-t-il à la caissière?

DES PAINS À LIVRER

La boulangerie Des Coteaux fait toutes sortes de pains.
Chaque jour, plusieurs camionneurs vont livrer ces pains.
Écris dans ton cahier les phrases mathématiques
qui te permettront de résoudre les problèmes suivants.

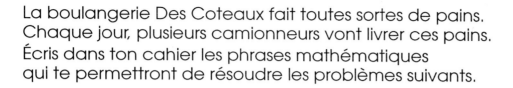

1.
> Le camionneur n° 32 doit livrer la marchandise suivante :
> 255 pains blancs, 168 pains de son, 139 pains croûtés.
> Combien de pains le camionneur doit-il livrer ?

2. Le camionneur n° 12 avait 659 pains à livrer.
   Il revient à la fin de la journée avec 62 pains.
   Combien de pains a-t-il livrés ?

3.
> Le camionneur n° 16 apporte 450 pains.
> Il y a 75 pains aux raisins et 188 pains de son.
> Les autres pains sont blancs.
> Combien de pains blancs y a-t-il dans ce camion ?

4. Aujourd'hui, le camionneur n° 19
   a livré 102 pains de moins qu'hier.
   Hier, il en avait livré 578.
   Combien a-t-il livré de pains aujourd'hui ?

5.
> Hier, le camionneur n° 18 a livré autant de pains
> aux raisins que de pains de son.
> Il a livré un total de 461 pains **dont** 243 blancs.
> Combien de pains aux raisins a-t-il livrés ?

Les pompiers bénévoles réparent les jouets usagés
qu'on leur a donnés avant de les redistribuer.
Certains jouets sont très abîmés, d'autres se réparent rapidement.
Les pompiers comparent le nombre de jouets réparés.
Réponds aux questions en t'aidant de tes jetons
et de tes étiquettes relations.

1. Aujourd'hui, Denis a recousu 4 oursons.
   Hier, il en avait recousu trois fois plus.
   Combien d'oursons Denis a-t-il recousus hier?

2. Herbert a réparé deux fois
   moins d'instruments de musique
   hier qu'aujourd'hui.
   Aujourd'hui, il en a réparé 10.
   Combien d'instruments de musique
   Herbert a-t-il réparés hier?

3. Martin a recollé 15 camions
   et Isabelle en a recollé 5.
   Martin dit qu'il en a recollé
   trois fois plus qu'Isabelle.
   Isabelle prétend qu'elle
   en a recollé trois fois moins
   que Martin.
   Qui a raison?

4. Trouve combien de livres
   Alexandre a réparés.
   Julien a réparé deux fois plus
   de livres qu'Alexandre.
   Julien a réparé 8 livres.

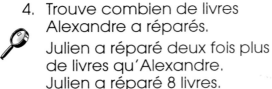

5. Sylvain reçoit 4 poupées à réparer.
   Hier, il en avait réparé trois fois plus.
   Combien de poupées aura-t-il
   réparées en tout?

DES CARRÉS OU DES RECTANGLES

À la boutique *Tout se joue*, on organise une journée «portes ouvertes».

Les enfants sont invités à faire différentes constructions avec des cubes, puis à les dessiner sur un tableau quadrillé.

Voici ce que Myriam a fait avec 12 cubes.

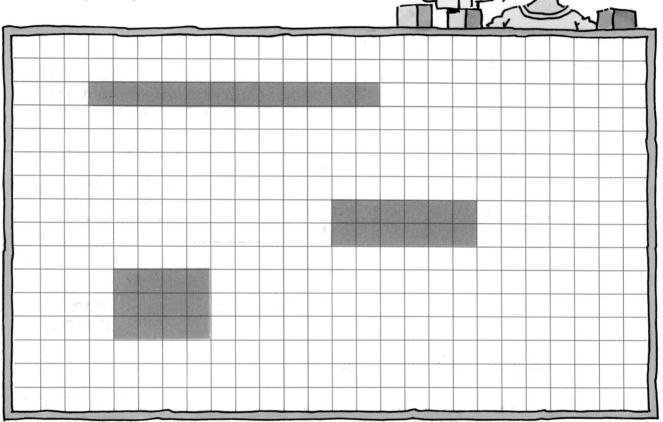

1. Est-ce que Myriam a trouvé tous les carrés ou les rectangles possibles avec 12 cubes?

2. À ton tour, effectue une recherche semblable et dessine sur une feuille quadrillée toutes les constructions que tu peux faire avec:
   a) 7 cubes,   *b*) 16 cubes,   *c*) 18 cubes,   *d*) 24 cubes.

3. Avec ses cubes, Yves a pu former un seul rectangle. Combien de cubes Yves avait-il? Trouve d'autres solutions à ce problème.

DES BALLONS DE FANTAISIE

Pour souligner la journée «portes ouvertes», la boutique offre des ballons.

Chaque enfant reçoit un ballon et peut le combiner avec la ficelle de son choix.

Voici les différents modèles de ballons et de ficelles.

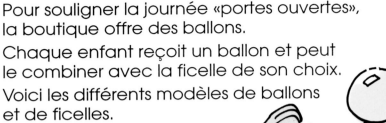

BALLONS

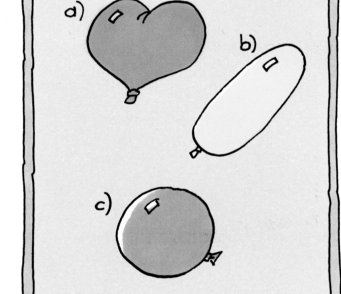

FICELLES

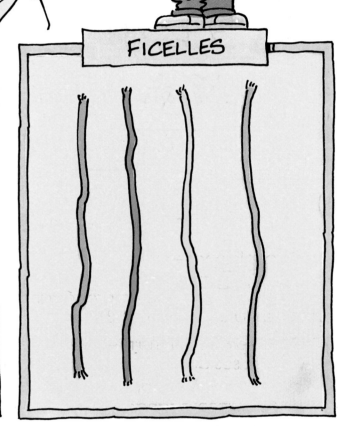

a)

b)

c)

On va te remettre des pièces à découper.

Trouve combien de modèles différents tu peux faire avec :

a) une ficelle rouge, une ficelle jaune et un ballon rond,

b) une ficelle rouge, bleue et verte, de même qu'un ballon en coeur et ovale,

c) tous les ballons et toutes les ficelles.

DES CHAISES POUR UN SPECTACLE

La boutique a organisé un spectacle de mime dans l'après-midi.

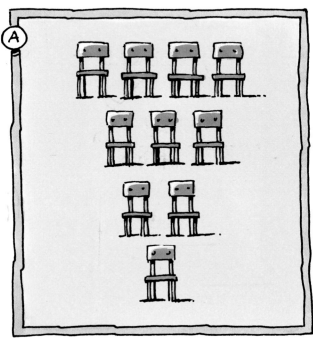

Pour la présentation du spectacle, Gaby a d'abord disposé les chaises en triangle, en procédant comme dans l'illustration A.

1. À l'aide du dessin, trouve le nombre de chaises que Gaby a placées dans:

   a) la cinquième rangée?

   b) la septième rangée?

   c) la dixième rangée?

2. Combien de chaises y a-t-il de plus dans la neuvième rangée que dans la sixième rangée?

Après avoir longtemps réfléchi, Gaby a changé d'idée.
Il a tout recommencé en procédant comme dans l'illustration B.

3. Combien y a-t-il maintenant de chaises dans:

   a) la cinquième rangée?

   b) la huitième rangée?

4. Il a fait huit rangées de chaises et toutes les chaises sont occupées. Combien y a-t-il d'enfants au spectacle?

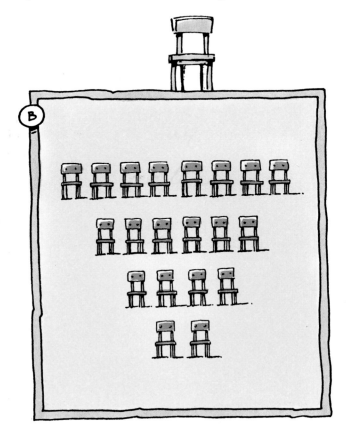

Les employés de la boutique
ont commencé quelques suites de blocs.
Ils invitent les enfants à les continuer.
Trouve la règle et dessine dans ton cahier deux figures
qui continuent chaque suite.

1.

2.

3.

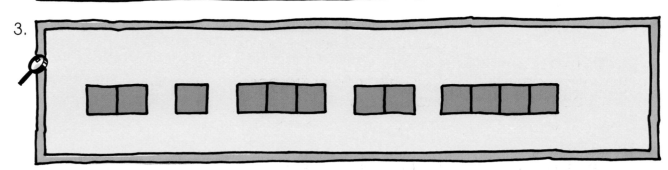

4.

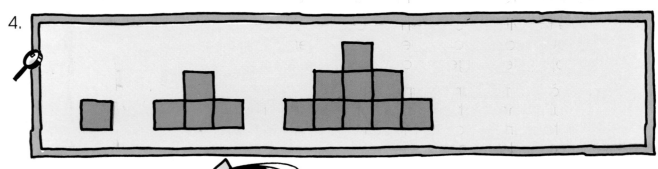

DES CARTES DE JEU

Les enfants de la classe de Dino ont inventé différents modèles de cartes à remplir.
Observe les cartes de Caroline et de Sébastien.

1. Comment peux-tu trouver rapidement les nombres qui peuvent remplacer les étoiles ?
   À quoi le nombre qui apparaît dans cette case correspond-il sur chacune des cartes ?

2. Sonia a donné le nom de Valentin à sa carte qui contient 32 cases. Combien de rangées y a-t-il sur sa carte ?

3. La carte de Michel contient 25 cases. Trouve quel nom Michel peut avoir inventé et combien de rangées il a faites.

4. Invente à ton tour une carte. Trouve-lui un nom et inscris le nombre de rangées. Dessine ta carte et demande à une amie ou à un ami de la remplir.

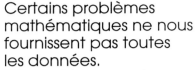
Certains problèmes mathématiques ne nous fournissent pas toutes les données.
Il faut alors se servir d'indices faisant partie du problème pour trouver une donnée cachée nécessaire à la résolution du problème.

Par exemple :

*Marlène a **395 points** au jeu de Scrabble.*

*Pedro en a **116 de moins**.*

Combien de points les deux joueurs ont-ils ?

Le nombre de points obtenus par Pedro n'est pas écrit dans ce problème : il faut se servir de l'indice « **116 points de moins** » pour le trouver.

$$395 - 116 \over 279$$

Ensuite, on peut trouver le total des points des deux joueurs.

$$395 + 279 \over 674 \text{ points}$$

Lis les problèmes suivants et découvre les indices qui t'aideront à trouver une donnée. Écris les phrases mathématiques et résous les problèmes.

1. Mario a utilisé une centaine de mini-briques de plus que Caroline pour construire sa maisonnette. Caroline a utilisé 139 mini-briques. Combien ont-ils utilisé de mini-briques pour faire les deux maisonnettes ?

2. Frédérique et Janoue ont 500 dépliants publicitaires à distribuer. Frédérique en a livré 276. Janoue en a livré 96 de moins. Ont-elles terminé leur distribution ? Explique.

3. Jean-Luc économise 1 $ par jour depuis le 1er janvier. Combien aura-t-il économisé à la Saint-Valentin ?

4. Le bureau météorologique a enregistré 127 jours de pluie pour l'année dernière. Combien y a-t-il eu de jours ensoleillés l'année dernière ?

ORDRE DANS LES PROBLÈMES

Tu sais maintenant qu'un problème
contient la description d'une situation.
Tu sais aussi qu'une situation se déroule
selon un ordre précis.

Voici des situations présentées dans le désordre.
Pour les comprendre, il faut les remettre en ordre.

Récris-les en ordre dans ton cahier, puis ajoute une
question à chacune pour en faire un problème.

1.

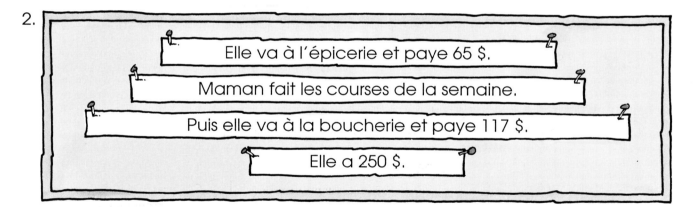

Il parcourt 546 km.

Le lendemain, il revient sur ses pas pour revoir un village à 150 km.

Alex se rend à Montréal en voiture.

2.

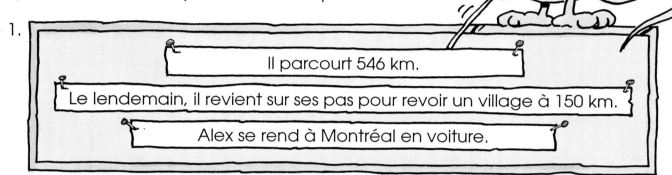

Elle va à l'épicerie et paye 65 $.

Maman fait les courses de la semaine.

Puis elle va à la boucherie et paye 117 $.

Elle a 250 $.

3.

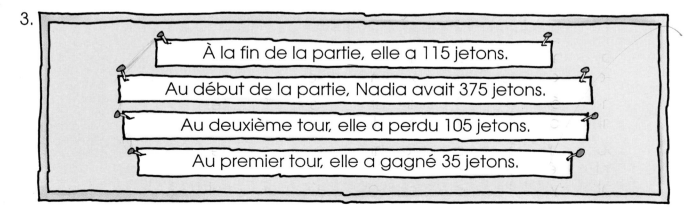

À la fin de la partie, elle a 115 jetons.

Au début de la partie, Nadia avait 375 jetons.

Au deuxième tour, elle a perdu 105 jetons.

Au premier tour, elle a gagné 35 jetons.

LE MONOPOLY

Yvan, Danièle et Carla jouent au Monopoly.
Au début de la partie, les joueurs reçoivent des billets de banque.
Ils doivent acheter le plus de terrains possible et y bâtir des maisons.

Observe bien la planche de jeu, elle te donnera
des informations utiles.

Résous ces quelques situations de jeu.

1. Danièle a 659 $. Elle veut acheter les terrains «Place du Parc»,
   «Place St-Charles» et «Vermont».
   Peut-elle acheter ces trois terrains? Explique.

2. Yvan peut-il acheter la série des trois terrains rouges avec 600 $?
   Explique.

3. Quelle est la différence de prix entre les terrains «Jardins Marvin»
   et «Promenade»?

4. Carla vient d'acheter le terrain «Avenue Pennsylvanie».
   Elle le propose à Danièle en échange de «Promenade».
   Danièle fera-t-elle une bonne affaire? Explique.
   Quelle est la différence entre les deux?

5. Combien d'argent faudra-t-il à Yvan pour acheter
   les quatre chemins de fer?

6. Carla achète trois maisons à 150 $.
   Combien lui coûteront ces maisons?

7. C'est au tour de Danièle de jouer.
   Il lui reste 50 $ et son pion se trouve sur le terrain «Promenade».
   Elle lance les dés et se déplace jusqu'à «Avenue de l'Orient».
   Ce terrain est à vendre. Danièle peut-elle l'acheter?

MONOPOLY

ENREGISTRÉ AU CANADA
MARCA REGISTRADA
MARQUE DÉPOSÉE DE PARKER BROTHERS INC. POUR SON
ÉQUIPEMENT DE JEU DE VALEURS IMMOBILIÈRES
DROITS RÉSERVÉS (C) 1935, 1946, 1961 PAR PARKER BROTHERS INC.
FAIT AU CANADA

Hasbro Canada

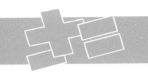

AVEC DES DESSINS

À l'occasion de la Semaine d'antan,
on a recréé à l'école un magasin général
comme celui qui appartenait aux grands-parents
de Marie-Claude.
Les articles sont regroupés de diverses façons
et les élèves peuvent faire des achats.

Emmanuel a illustré les ensembles de la première situation.
Observe ce qu'il a fait et écris la réponse dans ton cahier.

1. Cédric achète trois moules de 9 petits gâteaux.

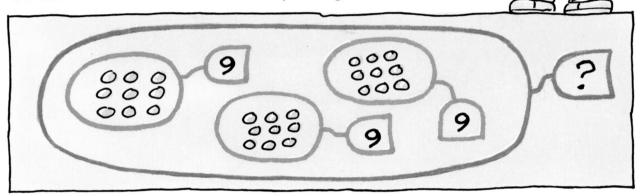

Combien de gâteaux peut-il faire?

À ton tour, dessine des ensembles dans
ton cahier pour illustrer les situations suivantes.
Trouve les réponses.

2. Josette achète 24 bougies regroupées en quatre paquets.
   Combien y a-t-il de bougies dans chaque paquet?

3. Normand a six paquets égaux de bobines de fil.
   Il a acheté 54 bobines en tout.
   Combien y a-t-il de bobines dans chaque paquet?

4. Lucie prend des cartes de 8 boutons.
   Elle achète un total de 48 boutons.
   Combien de cartes a-t-elle?

 5. Antoine a trois paquets de 2 billes
   et cinq paquets de 6 billes.
   Combien de billes a-t-il?

CLUB D'ÉCHANGE

Marie-Claude décide de mettre sur pied un club d'échange.
On va te remettre des boîtes à calculer; utilise-les pour dessiner tes solutions.

1. Pedro a 24 petites autos.
   Il échange 6 autos contre 1 camion.
   S'il échange toutes ses autos,
   combien de camions aura-t-il?

2. Sandra a 42 timbres. Elle échange
   7 timbres contre un cahier.
   Si elle échange tous ses timbres,
   combien de cahiers aura-t-elle?

3. En retour de 35 cartes de hockey,
   Francine reçoit 7 livres.
   Quel code d'échange Francine
   a-t-elle utilisé?

4. Marguerite échange ses crayons
   de fantaisie. Jean lui donne 5 billes
   pour chaque crayon.
   Marguerite a reçu 30 billes.
   Combien de crayons
   a-t-elle échangés?

J'en vaux cinq comme vous!

5. Simon a 4 petites autos.
   Il échange 1 auto contre
   9 crayons à colorier.
   S'il échange toutes ses autos,
   combien de crayons aura-t-il?

6. En retour de 8 poupées, Joanne
   reçoit 72 petits animaux en bois.
   Quel code d'échange Joanne
   a-t-elle utilisé?

COMPARE LES COLLECTIONS

Marie-Claude et ses amis comparent leurs collections.

J'ai 4 cartes d'oiseaux.

J'en ai 5 fois plus !

Combien de cartes Katou a-t-elle ?

Pour résoudre un problème qui contient une relation comme «5 fois plus» ou «2 fois moins», tu peux dessiner deux ensembles et inscrire la relation entre les deux ensembles.

A — 5 FOIS PLUS → B

Dessine les 4 cartes de Virgile dans l'ensemble A. Ensuite, cherche le nombre de cartes de l'ensemble B. Ce nombre représente le nombre de cartes de Katou.

4 — 5 FOIS PLUS → 20

Procède comme Maxime pour résoudre les problèmes suivants.

1. Sylvie a 5 animaux en bois.
   François en a sept fois plus.
   Combien d'animaux
   François a-t-il ?

2. Isabelle a 42 petites voitures.
   Loïc en a six fois moins qu'Isabelle.
   Combien de petites voitures
   Loïc a-t-il ?

3. Aline a 40 billes et Félix en a 10.
   Peut-on affirmer que Félix a
   quatre fois plus de billes qu'Aline ?
   Explique ta réponse.

4. Céline a 32 livrets de lecture.
   Elle en a quatre fois plus que Simon.
   Combien de livrets de lecture
   Simon a-t-il ?

5. Vincent a 10 cassettes de musique.
   Nathalie en a deux fois moins.
   Combien de cassettes nos amis
   ont-ils ensemble ?
   Attention ! La réponse finale de ce
   problème n'est pas 5 cassettes.

6. François a deux fois plus de disques
   que Julia. Julia a 5 disques.
   Combien de disques les
   deux amis ont-ils en tout ?

But du jeu

Compter par bonds jusqu'au nombre le plus près de 100.

Déroulement

Nombre de joueurs : quatre.
- On lance le dé pour déterminer qui va commencer.
- Le nombre qui apparaît sur le dé détermine aussi les bonds qui seront faits au premier tour.
- À tour de rôle, les joueurs nomment le nombre qui suit (Ex.: 5, 10, 15...). Celui ou celle qui se trompe passe son tour et c'est la personne suivante qui continue après avoir déterminé les bonds.

Voici quelques suites.
Écris-les dans ton cahier et complète-les.

a)   0 - 6 - 12 - ☐ - 24 - ☐ - ☐ - 42 - ☐ - ☐ - 60

b)   0 - ☐ - ☐ - ☐ - 32 - 40 - 48 - ☐ - ☐ - 72 - 80

c)   0 - 7 - ☐ - ☐ - ☐ - 35 - 42 - 49 - ☐ - ☐ - ☐

DES PRIX IMBATTABLES

La boutique *Tout pour le sport* prétend avoir les meilleurs prix.
Compare ses prix à ceux des autres magasins.

Les prix sont-ils vraiment meilleurs à la boutique *Tout pour le sport* ?

CALCULS TROUÉS

Transcris les opérations dans ton cahier.
Complète-les à l'aide d'un crayon de couleur.

a)
```
   1
  1 2 4
+ 4 5 6
───────
  9 9 3
```

b)
```
  5 0 0
- 1 6 9
───────
```

c)
```
  4 2 9
+ 3 9 5
───────
```

d)
```
  5 4 9
- 3 4 8
───────
```

e)
```
  8 6 3
+
───────
  9 0 8
```

f)
```
  5 6 9
  2 0 0
+ 1 8 7
───────
```

g)
```
  8 0 9
-
───────
  2 9 6
```

h)
```
  5 2 9
+ 1 6 0
───────
```

i)
```
  9 4 0
- 8 7 9
───────
```

j)
```
    4 6
+ 7 0 3
───────
  9 6 4
```

k)
```
   1
  3 1 2
+
───────
  7 3 0
```

l)
```
  9 0 6
-
───────
  8 1 0
```

UN TABLEAU, ÇA PARLE !

✚	214	304	107	329
515	729	819	622	844
403	617	707	510	732

Dans un tableau d'opérations, j'écris des données d'une autre façon. Observe celui-ci et découvre ce qu'il dit.

Combien peut-on écrire d'équations à partir des données de ce tableau?

Peux-tu les nommer?

À ton tour, maintenant.

1. Sur du papier quadrillé, transcris les tableaux suivants et complète-les.

a)

✚	127	99	358	215
492	619	591	?	?
246	?	?	604	461

b)

➖	810	907	652	538
408	?	499	244	?
396	414	?	?	142

c)

✚	?	372
386	916	758
?	679	521

2. Trouve l'opérateur de chaque tableau.

a)

?	469	976	805
159	310	817	646
357	112	619	448

b)

?	459	194
516	975	710
345	804	539

c)

?	651	523
392	259	131
429	222	94

3. Construis un tableau d'opérations.
   Demande à une amie ou à un ami de la classe de le compléter.

Tous les élèves de l'école Émile-Legault partent pour le camp d'hiver. Plusieurs activités leur sont offertes. Observe le tableau des inscriptions.

	Lundi	Mardi	Mercredi
Ski alpin	232	216	149
Ski de fond	198	203	84
Raquette	69	100	124
Glissade	204	176	301
Randonnée	96	104	141

1. Les moniteurs doivent acheter les billets de remonte-pente pour les élèves qui feront du ski alpin pendant ces trois jours. Combien doivent-ils acheter de billets?

2. Chaque élève qui participe à la randonnée de survie doit avoir une boîte d'allumettes. Combien de boîtes d'allumettes les moniteurs doivent-ils préparer pour ces trois jours?

3. Quelle différence y a-t-il entre le nombre d'inscriptions du mardi et celui du mercredi pour la glissade sur pneumatique?

4. Quelle activité aura été la plus populaire durant ces trois jours?

5. Tous les élèves ont participé à une activité par jour. Combien y a-t-il d'élèves à l'école Émile-Legault?

Si on te donne les dimensions d'un rectangle ou d'un carré, tu peux trouver le nombre de carrés unités qu'il contient, c'est-à-dire son **aire**.

1. Sur du papier quadrillé, reproduis et complète ce rectangle. Compte ensuite les carrés unités pour trouver son aire.

   Tu devrais arriver à 18 carrés unités. L'aire de ce rectangle est de 18 carrés unités.

   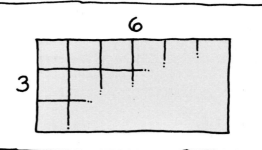

2. Recommence avec ce carré.

   Pourquoi te donne-t-on une seule mesure pour le carré? Quelle est l'aire de ce carré?

   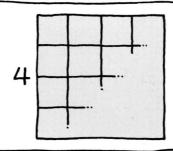

3. Dessine les figures suivantes sur du papier quadrillé et trouve les données manquantes.

   a) Largeur : 6 unités
   Longueur : 8 unités
   Aire : **?**

   b) Largeur : 7 unités
   Longueur : 9 unités
   Aire : **?**

   c) Largeur : 8 unités
   Longueur : **?**
   Aire : 72 carrés unités

   d) Côté : 9 unités
   Aire : **?**

   e) Largeur : **?**
   Longueur : **?**
   Aire : 48 carrés unités

   f) Côté : **?**
   Aire : 64 carrés unités

   g) Trouve une autre solution pour la figure **e**.

La compagnie Jeux d'enfants veut lancer un jeu de cartes.
Ce jeu aidera les enfants à apprendre différentes formes et couleurs.

Le jeu comporte trois formes (cercle, carré et triangle)
et chaque forme peut prendre cinq couleurs différentes
(rouge, bleu, vert, jaune, rose).

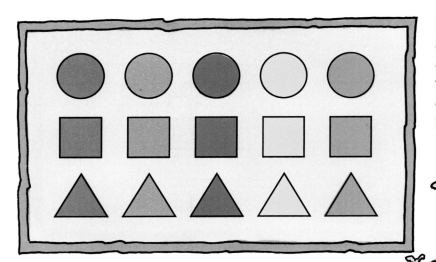

Pour trouver combien de cartes ce jeu contiendra, tu peux illustrer chaque forme dans les cinq couleurs.

Il y a cependant une façon plus rapide.
Observe le diagramme suivant.

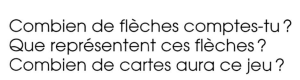

Combien de flèches comptes-tu ?
Que représentent ces flèches ?
Combien de cartes aura ce jeu ?

On te proposera d'autres situations.
Résous-les avec des diagrammes semblables.

ZÉRO, TOUJOURS ZÉRO

Sers-toi de ton tableau de multiplication pour faire ce travail.

1.

Écris dans ton cahier toutes les multiplications du tableau dont le produit est «0».

Par exemple:
3 x 0 = 0

Observe les deux facteurs dans ces multiplications. Que remarques-tu?

Que peux-tu dire des nombres multipliés par «0»?

2.

Ciel! Je n'ai plus un sou.

Ça ne fait rien! J'en ai deux fois plus que toi...

Aucun de ces deux personnages ne pourra payer. Pourquoi?

Explique ta réponse par une phrase mathématique.

3.

Invente et écris dans ton cahier dix multiplications qui ont «0» comme produit et qui ne sont pas dans ton tableau.

LES CENTRES DE SKI

Les centres de ski accueillent plusieurs skieurs durant la saison.
Les textes qui suivent décrivent différentes situations.
Lis les problèmes et résous-les.

1. Le centre de ski Mont-Joyeux est situé à 149 km de Québec. Le centre de ski Hiverplus est situé un peu plus loin, à 208 km de Québec. Quelle distance sépare les deux centres de ski ?

2. Érika est arrivée au centre Hiverplus à 10 heures. Le numéro de son billet est 208. Manuel la rejoint à 13 heures. Son billet porte le numéro 526. Combien de skieurs sont arrivés entre 10 heures et 13 heures ?

3. Le préposé au remonte-pente fait le relevé du nombre de remontées faites par les skieurs. Il y a eu 224 remontées à la première heure, 305 à la deuxième et 396 à la troisième. Combien de remontées cela fait-il pour les 3 heures ?

4. À la cantine du centre Hiverplus, il y a 256 places pour les skieurs qui ont leur repas et 345 places pour ceux qui l'achètent à la cantine. Combien y a-t-il de places dans cette cantine ?

5. Le sommet le plus élevé est à 266 mètres. La montagne voisine a 187 mètres de haut. Quelle différence y a-t-il entre les deux sommets ?

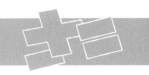

Madame Lehoux est comptable à l'Auberge de la chouette.
Elle prépare les factures des familles qui partent aujourd'hui.

1. Trouve le total de chaque facture.

Famille Jodoin

Séjour	576 $
Activités sportives	192 $
Autres frais	124 $
Total	**?**

Famille Leblanc

Séjour	594 $
Activités sportives	115 $
Autres frais	236 $
Total	**?**

Famille Alarie

Séjour	459 $
Activités sportives	199 $
Autres frais	204 $
Total	**?**

Famille Saint-Pierre

Séjour	608 $
Activités sportives	130 $
Autres frais	204 $
Total	**?**

2. D'autres clients avaient fait des dépôts en arrivant.
   Voici le début de la liste de ces clients.
   Trouve les montants qui manquent.

Clients	Dépôt	Total	Solde
Adams, Olga	296 $	354 $	?
Auclair, Victor	465 $	600 $	?
Bérubé, Renée	696 $	974 $	?
Butino, Ubaldo	?	789 $	89 $
Carrier, Diane	?	607 $	607 $
Domingos, Pedro	?	813 $	458 $

Jean-Marc, le responsable des arts plastiques,
doit faire le compte du matériel utilisé.
Lis et résous les problèmes suivants avec une amie ou un ami.
Toi, tu dessines, l'autre utilise sa calculatrice.
Au deuxième problème, vous changez de rôle.

1.

Pour son bricolage, Anne utilise 7 paquets
de 5 figures différentes.
Combien de figures Anne utilise-t-elle ?

2. Jean-Marc partage les 56 figures qu'il lui reste
entre les 8 derniers élèves de la classe.
Combien de figures donnera-t-il
à chaque élève ?

3.

Sylvette distribue 6 paquets de cercles de couleur.
Chaque paquet contient 9 cercles.
Combien de cercles Sylvette a-t-elle distribués ?

4. Jean-Marc a préparé 5 sacs contenant
le même nombre de carrés.
Il avait 45 carrés.
Combien de carrés y a-t-il dans chacun des sacs ?

5.

Jean-Marc partage les 42 crayons
spéciaux entre les 7 équipes.
Combien de crayons chaque équipe
recevra-t-elle ?

6. Julie a 4 paquets de 9 rectangles.
Combien de rectangles a-t-elle ?

À MOITIÉ RÉSOLUS

Observe les problèmes illustrés.
Compose la phrase qui correspond à l'illustration.
Écris ta phrase dans ton cahier.

1. Maxime a 4 cartes d'auto.
   Il échange 1 carte d'auto contre
   6 cartes de joueurs de hockey.
   S'il échange toutes ses cartes d'auto,
   combien de cartes de joueurs
   de hockey recevra-t-il ?

2. Cédrine échange chacune
   de ses pommes contre
   8 quartiers d'orange.
   Cédrine a 4 pommes.
   Combien de quartiers d'orange
   Cédrine recevra-t-elle ?

3. Julien a 64 timbres canadiens.
   Il échange 8 timbres canadiens
   contre 1 timbre français.
   Combien de timbres français
   Julien aura-t-il en échange
   de tous ses timbres canadiens ?

4. Chloé a 54 bâtonnets.
   Elle échange 6 bâtonnets
   contre 1 feuille de bricolage.
   Combien de feuilles Chloé
   recevra-t-elle en échange
   de tous ses bâtonnets ?

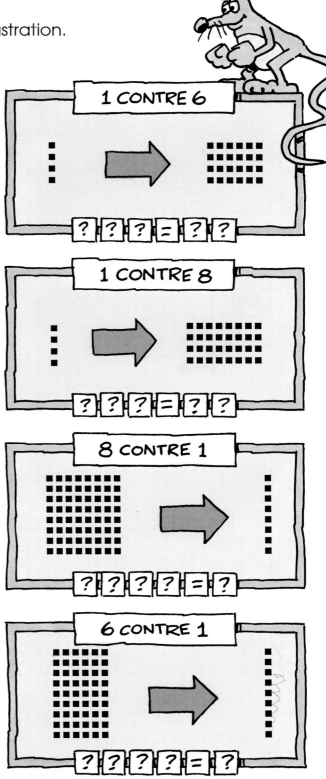

Julie et ses amis ont fait des échanges avec leurs figures géométriques.
Après quelques coups, ils comparent leurs avoirs.

Illustre chaque situation dans ton cahier.
Écris ensuite la phrase mathématique qui te permet
de répondre à la question.

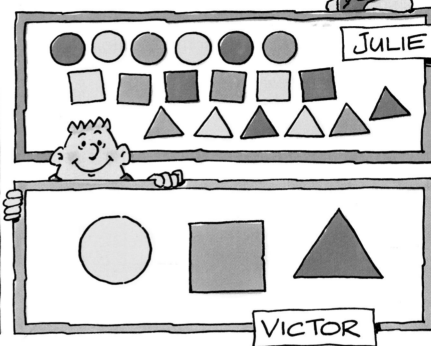

SAMUEL

VICTOR

1. Suzanne a quatre fois plus de figures que Victor.
   Combien de figures Suzanne a-t-elle?

2. Anaïs a six fois moins de figures que Julie.
   Combien de figures Anaïs a-t-elle?

3. Vanessa a deux fois moins de figures que Samuel.
   Combien de figures Vanessa a-t-elle?

4. Peut-on affirmer que Victor a deux fois plus de figures qu'Anaïs?
   Pourquoi?

5. Réponds par **Vrai** ou **Faux** à chacune des affirmations.
   Justifie ta réponse.
   a) Victor a deux fois plus de figures que Samuel.
   b) Julie a trois fois plus de figures que Samuel.
   c) Samuel a deux fois moins de figures que Victor.
   d) Julie a six fois plus de figures que Victor.

MULTIPLICATIONS SOUS OBSERVATION

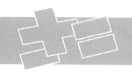

Pour toutes les activités de la page,
aide-toi de ton tableau de multiplication.

1. Écris les équations suivantes dans ton cahier et résous-les.
   Dans ton cahier, encercle en bleu les opérations où le produit
   est égal à l'un des deux facteurs. Que remarques-tu ?

   a) $3 \times 1 = \text{?}$ b) $4 \times 4 = \text{?}$ c) $2 \times \text{?} = 2$

   d) $5 \times 2 = \text{?}$ e) $7 \times 1 = \text{?}$ f) $5 \times 6 = \text{?}$

   g) $1 \times 8 = \text{?}$ h) $9 \times 1 = \text{?}$ i) $\text{?} \times 1 = 1$

2. Écris et résous les équations suivantes dans ton cahier.
   Encercle en rouge les produits qui sont des nombres pairs et encadre
   en rouge les facteurs qui sont des nombres pairs. Que remarques-tu ?

   a) $2 \times 8 = \text{?}$ b) $2 \times 7 = \text{?}$ c) $6 \times \text{?} = 30$

   d) $\text{?} \times 3 = 15$ e) $6 \times \text{?} = 48$ f) $3 \times 9 = \text{?}$

   g) $4 \times \text{?} = 16$ h) $9 \times 7 = \text{?}$ i) $\text{?} \times 5 = 35$

3. Transcris les multiplications dans ton cahier
   et écris si le produit sera pair (P) ou impair (I).
   Exemple: $2 \times 3.$ (P)

   a) $4 \times 7 = \text{?}$ b) $3 \times 4 = \text{?}$ c) $5 \times 9 = \text{?}$

   d) $3 \times 9 = \text{?}$ e) $6 \times 9 = \text{?}$ f) $3 \times 1 = \text{?}$

   g) $6 \times 4 = \text{?}$ h) $7 \times 7 = \text{?}$ i) $9 \times 9 = \text{?}$

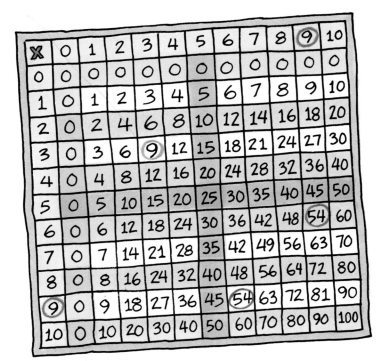

Utilise le tableau de multiplication que tu as réalisé à l'activité «Nombres de toutes les couleurs» et réponds aux questions.

1. Observe la colonne verte. Inscris dans ton cahier tous les produits de cette colonne. Que remarques-tu ?

2. Observe la rangée grise. Écris dans ton cahier tous les produits de cette rangée. Que remarques-tu ?

3. Observe les rangées roses. Écris dans ton cahier dix des produits de ces rangées. Que peux-tu dire à leur sujet ?

4. Cherche et écris dans ton cahier les produits des facteurs suivants.

8 x 3 = ? 3 x 8 = ?	5 x 3 = ? 3 x 5 = ?	8 x 6 = ? 6 x 8 = ?

Que remarques-tu ?

5. Cherche et écris dans ton cahier les produits des facteurs suivants.

4 x 6 = ? 3 x 8 = ?	6 x 6 = ? 4 x 9 = ?	3 x 4 = ? 2 x 6 = ?

Que remarques-tu ?

6. Trouve dans ton tableau tous les couples de facteurs qui correspondent à chacun des nombres 20, 30 et 40. Écris-les dans ton cahier.

Oh!

DES COSTUMES VARIÉS

À l'école Bienvenue, on se costume
pour la Fête du printemps.
Les classes de la première à la quatrième année
ont choisi des combinaisons de couleurs différentes
pour leurs chapeaux et leurs chandails.

Dans chaque cas, trouve le nombre
de combinaisons possibles.
Écris ensuite la phrase mathématique
qui convient.

1.

En première année,
le chapeau est orange ou vert
et le chandail, violet ou jaune.

2. En deuxième année, le chapeau
est rose, jaune ou vert et le chandail
est violet, gris ou bleu.

3.

En troisième année,
le chapeau est rouge ou bleu
et il y a 6 couleurs différentes
pour le chandail.

4. Il y a 5 couleurs de chapeau
et 7 couleurs pour le chandail
en quatrième année.

5.

$$4 \times 8 = \, ?$$

Avec cette phrase mathématique,
compose un problème où il est question
de costumes pour la Fête du printemps.

Federico veut trouver le produit de 3 x 5.
Observe son travail.

Après avoir terminé sa toile, Federico peut dire que 3 x 5 = 15.

1. Explique comment il procède.

2. Trouve les produits suivants en dessinant dans ton cahier
   une toile multiplicative pour chaque opération.

   a) 3 x 7 = **?**   b) 5 x 8 = **?**   c) 6 x 9 = **?**

   d) 6 x 7 = **?**   e) 4 x 9 = **?**   f) 8 x 8 = **?**

   g) 6 x 8 = **?**   h) 4 x 7 = **?**   i) 5 x 9 = **?**

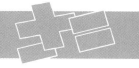

PLUSIEURS FAÇONS

Juliette a proposé à ses élèves de trouver le résultat de 6 x 8.
Voici comment quatre enfants ont procédé.
Observe les différentes façons et explique-les.

Je dessine un rectangle et ensuite je compte les carrés par bonds de 8.
Je trouve 48.

8 16 24 32 40 48

Je trace les lignes d'une toile multiplicative. Je compte les noeuds par bonds de 8.
Je trouve 48.

8 16 24 32 40 48

Ça continue à la page suivante!

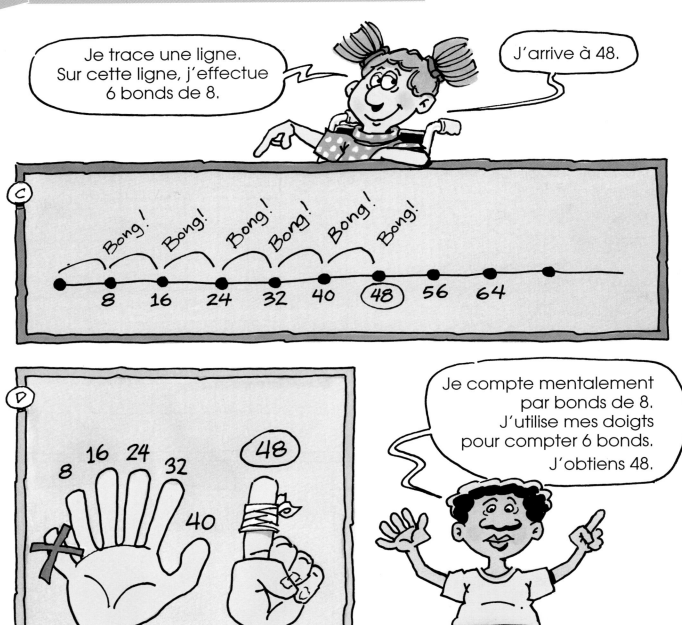

Pour chacun des quatre enfants, il y a une autre façon de trouver 6 x 8.
Reprends chacun des cas et trouve cette deuxième façon.
Comment expliques-tu qu'il y ait une deuxième manière de faire
pour chacun des cas?
Y en a-t-il une troisième?

QUESTIONS DE RELATIONS

Écris tes réponses dans ton cahier.

Rappelle-toi :
1 m = 10 dm = 100 cm
1 dm = 10 cm

1. Transforme ces mesures en mètres.

   a) 30 dm = **?** m
   b) 400 cm = **?** m
   c) **?** m = 60 dm
   d) **?** m = 70 dm
   e) 80 dm = **?** m
   f) 100 cm = **?** m

2. Transforme ces mesures en centimètres.

   a) 1 m = **?** cm
   b) **?** cm = 2 dm
   c) 3 m = **?** cm
   d) 4 dm = **?** cm
   e) 24 dm = **?** cm
   f) **?** cm = 15 dm

3. Quelle est la plus petite mesure ?

   a) 5 dm ou 3 m ?
   b) 65 cm ou 6 dm ?
   c) 4 m ou 300 cm ?
   d) 10 cm ou 1 dm ?
   e) 1 m 6 cm ou 180 cm ?
   f) 8 dm ou 80 cm ?

4. Transforme 2 m en décimètres et en centimètres.

5. Place toutes les mesures suivantes en ordre croissant.

   • 1 m
   • 13 dm
   • 30 cm
   • 400 cm
   • 1 m 70 cm
   • 1 m 2 dm

1. Des élèves de la classe de Maria comparent leur taille.
   L'enseignante les place en ordre croissant dans les rangs.

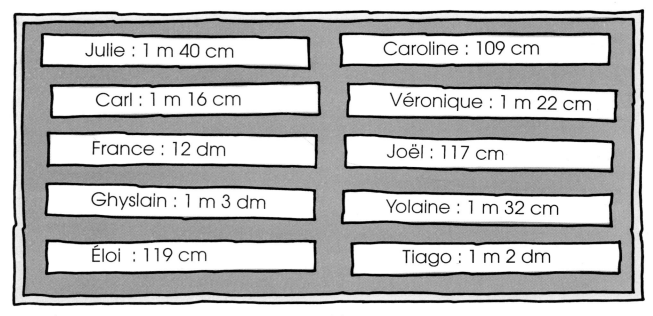

Julie : 1 m 40 cm	Caroline : 109 cm
Carl : 1 m 16 cm	Véronique : 1 m 22 cm
France : 12 dm	Joël : 117 cm
Ghyslain : 1 m 3 dm	Yolaine : 1 m 32 cm
Éloi : 119 cm	Tiago : 1 m 2 dm

a) Écris dans ton cahier le nom des élèves comme
   ils seront placés dans le rang.

b) Quelle différence y a-t-il entre la plus petite et la plus grande ?

c) Quels sont les deux élèves qui ont la même taille ?

2. Claude place les élèves de sa classe
   en ordre décroissant.
   Écris leurs noms dans ton cahier en suivant
   le même ordre que Claude.

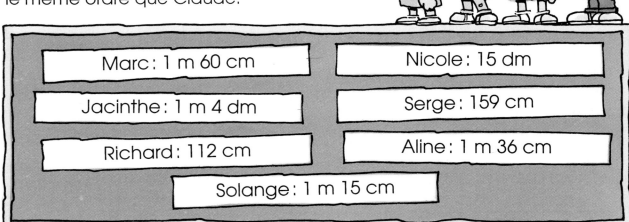

Marc : 1 m 60 cm	Nicole : 15 dm
Jacinthe : 1 m 4 dm	Serge : 159 cm
Richard : 112 cm	Aline : 1 m 36 cm
Solange : 1 m 15 cm	

LA NOUVELLE CHAMBRE

Clara aménage sa nouvelle chambre.
Il lui reste à placer quelques meubles et accessoires.
Fais les calculs et réponds aux questions qu'elle se pose.

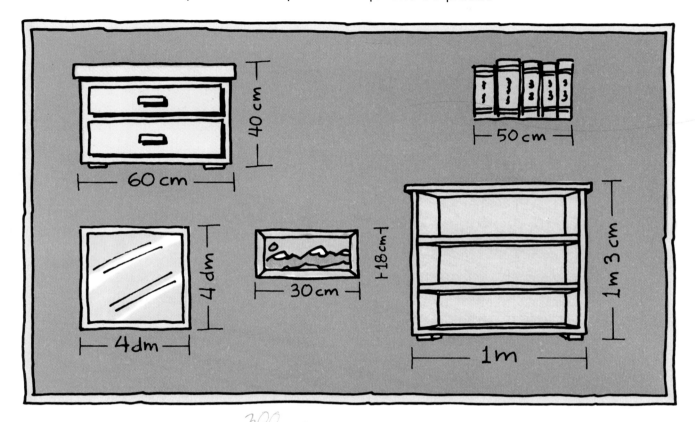

1. Le mur du fond mesure 3 m.
   Le lit occupe 1 m. La table de nuit est à côté du lit.
   Combien de centimètres mesure l'espace qui reste sur ce mur?

2. Clara veut fixer le cadre et le miroir sur le même mur.
   Elle veut laisser un espace de 30 cm entre les deux.
   Pourra-t-elle faire cet arrangement dans un espace de 1 m?
   Explique.

3. La hauteur de sa commode est de 120 cm.
   Quelle différence y a-t-il entre la hauteur de sa commode
   et celle de son étagère?

4. Clara veut installer ses livres préférés sur l'étagère, au centre.
   Elle veut laisser le même espace de chaque côté des livres.
   Combien de centimètres y aura-t-il de chaque côté?

Connais-tu le jeu de la bataille navale?
C'est un jeu où il faut trouver et couler les bateaux de l'adversaire.

Je te propose de jouer à ce jeu sur un tableau de multiplication. Tu verras, c'est amusant.

Ce jeu se joue à deux.

Chaque joueuse ou joueur a deux tableaux de multiplication recouverts d'un acétate et un crayon gras.

Chaque joueuse ou joueur doit d'abord déterminer la position de ses 4 bateaux.

Sur l'acétate qui recouvre le premier tableau, elle ou il colorie des groupes de cases (horizontaux ou verticaux) qui vont représenter ses bateaux.

Bateaux

porte-avions	: 5 cases
cuirassé	: 4 cases
sous-marin	: 3 cases
torpilleur	: 2 cases

La position des bateaux doit évidemment rester inconnue de l'adversaire.

Voici où se trouvent mes bateaux.

x	0	1	2	3	4	5	6	7	8	9	10
0	0	0	0	0	0	0	0	0	0	0	0
1	0	1	2	3	4	5	6	7	8	9	10
2	0	2	4	6	8	10	12	14	16	18	20
3	0	3	6	9	12	15	18	21	24	27	30
4	0	4	8	12	16	20	24	28	32	36	40
5	0	5	10	15	20	25	30	35	40	45	50
6	0	6	12	18	24	30	36	42	48	54	60
7	0	7	14	21	28	35	42	49	56	63	70
8	0	8	16	24	32	40	48	56	64	72	80
9	0	9	18	27	36	45	54	63	72	81	90
10	0	10	20	30	40	50	60	70	80	90	100

Pour tenter d'atteindre l'un des bateaux de ton adversaire, tu donnes une première multiplication en disant d'abord le chiffre de la rangée, puis celui de la colonne.

Pour te rappeler ce que tu as demandé, note tes coups sur ton deuxième tableau en faisant un **X** sur le produit de ta multiplication.

Si tu as visé juste, ton adversaire répond «touché» et fait un **X** sur la case atteinte. Tu joues à nouveau.

Si tu n'as rien touché, c'est au tour de ton adversaire.

Lorsque toutes les cases qui formaient un bateau ont été touchées, le bateau est coulé.

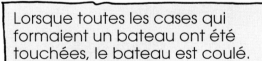

Pour gagner, tu dois couler tous les bateaux de ton adversaire.

Voici la description de deux pages du journal de l'école.

On te donne des consignes pour tracer les cadres qui permettront à l'imprimeur de disposer les rubriques sur une page standard de 22 cm sur 28 cm.

Respecte l'ordre des consignes et inscris chaque rubrique au bon endroit.

Page 2

1. Il y a un espace de 2 cm en haut et en bas de la page.

2. Il y a aussi un espace de 1 cm à gauche et à droite de la page.

3. Dans le coin gauche en haut, il y a une publicité qui occupe 9 cm de largeur sur 1 dm 2 cm de hauteur.

4. Dans le coin droit en haut, la rubrique de Julie occupe un espace de 1 dm de largeur sur 15 cm de hauteur.

5. La rubrique de Marc est située dans le coin gauche en bas et occupe 8 cm de largeur sur 1 dm de hauteur.

6. Il y a un article sur le sucre d'érable dans le coin droit en bas. Cet espace mesure 11 cm de largeur sur 8 cm de hauteur.

Page 3

7. Il y a un espace de 2 cm tout autour de la page.

8. C'est une page de petites annonces. Le titre est centré dans un encadré de 16 cm de largeur et 5 cm de hauteur, en haut de la page.

9. Il y a trois colonnes d'annonces.
   a) La colonne du centre mesure 4 cm de largeur.
   b) Les deux autres colonnes mesurent 6 cm chacune.
   c) Il y a un espace de 1 cm entre les colonnes.
   d) Ces trois colonnes ont une hauteur de 1 dm 8 cm.
   e) Reste-t-il un espace entre le titre encadré et le début des colonnes? Si oui, de combien?

TOURS DE MAGIE

Au Cirque vert, tout le monde a hâte au spectacle de ce soir.
Liane prépare son matériel pour les tours
de magie qu'elle présentera.
Résous les problèmes suivants.

1. Pour son premier tour, Liane empilera des cubes de 1 cm de hauteur dans une boîte de 1 dm 5 cm de hauteur. Combien lui faudra-t-il de cubes ?

2. Liane prépare aussi une corde de 2 m. Elle doit faire des noeuds à tous les 2 dm. Combien y aura-t-il de noeuds dans cette corde ?

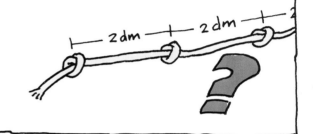

3. Dans un tour de cartes, Liane doit placer dix-huit cartes côte à côte sur une table. Chaque carte mesure 1 dm de largeur. Combien de centimètres devra mesurer cette table ? Une table de un mètre de large ferait-elle l'affaire ? Explique.

4. Liane veut faire entrer son assistant dans une grande boîte. Son assistant mesure 1 m 65 cm. Pourra-t-il entrer dans une boîte de 185 cm de hauteur ? Explique.

5. Liane aura besoin de 18 bouts de ruban de 1 dm. Elle a trouvé un bout de ruban de 1 m. Aura-t-elle assez de ce ruban pour couper les 18 bouts qu'il lui faut ? Explique.

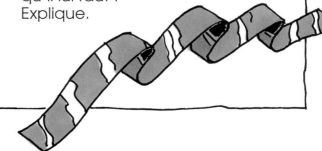

FAIS TON AFFICHE

Pour faire une belle affiche, il faut beaucoup de précision.
On doit utiliser la règle et bien mesurer chacune des lettres,
puis les espaces. Voici le modèle réduit d'une affiche.
Essaie de la faire à sa taille réelle sur une feuille
de grandeur standard (22 cm sur 28 cm).
Respecte bien les mesures indiquées.

Inscris ton prénom en traçant des lettres de mêmes dimensions
et en respectant toujours les espaces.
Ces mesures varieront en fonction du nombre de lettres.
Trace tes lettres en couleur, colle ta photo !

Tu peux coller ton affiche devant ton pupitre
ou sur ta porte de chambre.

BONJOUR
JE M'APPELLE
MARILÈNE

2 cm

2 cm

1 cm

2 cm

2 cm

4 cm

2 cm

2 cm

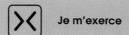
1. On te dictera quatre suites de nombres.
   Dans chaque cas, place un cube sur chacun
   de ces nombres et continue la suite
   comme on te le demande.

100	101	102	103	104	105	106	107	108	109
110	111	112	113	114	115	116	117	118	119
120	121	122	123	124	125	126	127	128	129
130	131	132	133	134	135	136	137	138	139
140	141	142	143	144	145	146	147	148	149

2. Observe les sept suites décrites
   et trouve les trois nombres qui suivent.
   Écris la règle pour chacune dans ton cahier.

   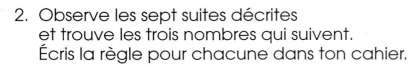

   a)   100, 105, 108, 113, 116...   Règle ?
   b)   149, 148, 138, 137...   Règle ?
   c)   100, 110, 114, 124, 128...   Règle ?
   d)   146, 138, 140, 132, 134...   Règle ?
   e)   107, 103, 110, 106, 113...   Règle ?
   f)   144, 136, 140, 132, 136...   Règle ?
   g)   141, 131, 122, 114, 107...   Règle ?

LE PLAN DE MA VILLE

Voici une partie de ma ville.
Observe le plan et réponds aux questions.

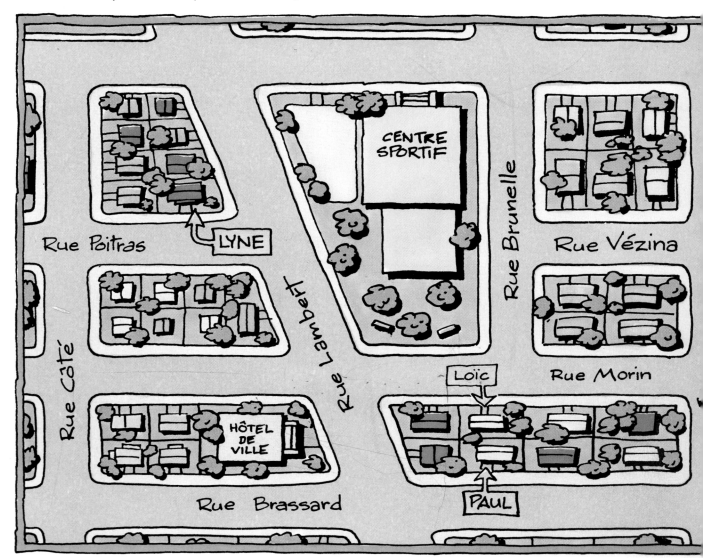

1. Sur quelle rue demeure Lyne?

2. Nomme tous les édifices publics qui se trouvent sur la rue Bouchard.

3. Josée emprunte la rue Lalonde et tourne à droite sur la rue Houde, puis à droite sur la rue Dolbec et à gauche sur la rue Simard.
À quel endroit Josée se rend-elle?

 4. Quel chemin Josée doit-elle prendre pour se rendre à l'école?

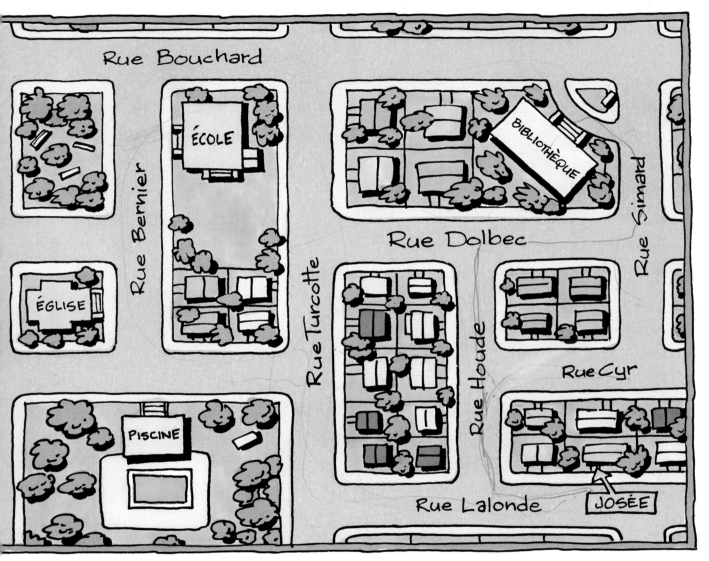

5. Quel édifice public se trouve dans le quadrilatère formé par les rues Côté, Bouchard, Jacques et Morin ?

6. Qui demeure le plus près du centre sportif, Lyne ou Paul ? Justifie ta réponse.

7. Qui demeure le plus près de l'hôtel de ville, Loïc ou Paul ?

8. Décris le trajet de Paul qui part de sa maison pour se rendre à la piscine.

Avec sa calculatrice, Émilie compose des suites.

1. Observe et explique sa manière de procéder.

2. Trouve quelle séquence de touches Émilie a entrée pour composer chacune de ces suites.

a)   141 → 161 → 181 → 201...

b)   161 → 266 → 371 → 476...

c)   696 → 586 → 476 → 366...

d)   408 → 504 → 600 → 696...

e)   691 → 594 → 497 → 400...

f)   92 → 210 → 328 → 446...

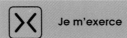 **Je m'exerce**

Josua a composé des suites d'opérations.

1. Trouve la règle et, pour chaque suite,
   écris dans ton cahier les trois opérations suivantes.

A

2	12	22	32	
+ 3	+ 3	+ 3	+ 3	
5	15	25	35	?

B

98	88	78	68	
− 4	− 4	− 4	− 4	
94	84	74	64	?

C

7	17	27	37	
+ 6	+ 6	+ 6	+ 6	
13	23	33	43	?

D

87	77	67	57	
− 14	− 14	− 14	− 14	
73	63	53	43	?

E

160	260	360	460	
+ 10	+ 10	+ 10	+ 10	
170	270	370	470	?

F

931	831	731	631	
− 100	− 100	− 100	− 100	
831	731	631	531	?

2. Dans ton cahier, compose une suite d'opérations et demande à une
   amie ou à un ami de la continuer.

Jean-Marie et les élèves de sa classe vont rendre visite aux animaux dans leurs quartiers d'hiver.

Chaque enfant est libre de choisir son itinéraire.

Observe le plan et réponds aux questions.

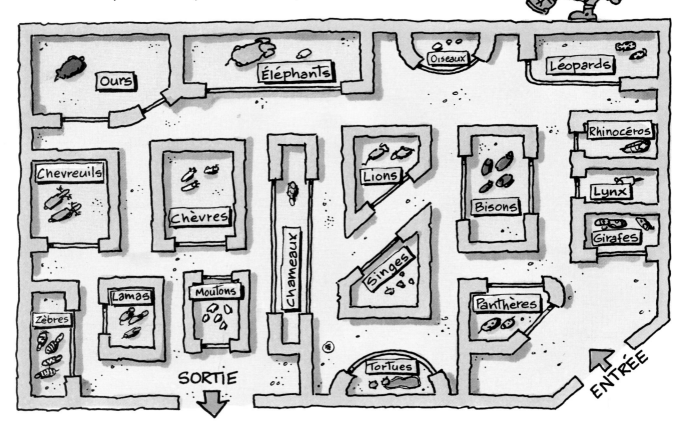

1. Martin a vu les panthères, les tortues, les singes et les éléphants. Quels autres animaux se trouvaient obligatoirement sur son itinéraire?

2. Après avoir vu les zèbres et les lamas, Lisa veut aller rejoindre Martin devant les éléphants. Quels autres animaux Lisa verra-t-elle?

3. Élise a trouvé une façon de voir tous les animaux sans passer deux fois au même endroit. Trouve son itinéraire et écris le nom des animaux selon l'ordre dans lequel elle les verra.

4. Dis quels animaux tu verras en partant de l'entrée si tu te rends directement à l'enclos des ours. Compare ta réponse à celle d'une autre ou d'un autre élève.

À L'AFFÛT DES NOMBRES

Je te propose de résoudre les jeux de nombres suivants.
Indique quelle stratégie tu as utilisée pour les résoudre.

Je cherche deux nombres
dont la somme est 81.
Le premier nombre est le double
du deuxième.

Je cherche deux nombres
dont la somme est 96.
Le premier nombre est
la moitié du deuxième.

Je cherche deux nombres
dont la différence est 29.
Le premier est le double
du deuxième.

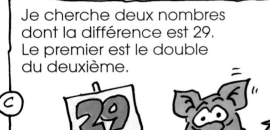

Je cherche trois nombres consécutifs
dont la somme est 72.

Je cherche trois nombres identiques
dont la somme est 61.

Je cherche trois nombres
dont la somme est 52.
Les deux premiers sont
identiques et le troisième
est le double du premier.

Les amis de la classe de Martha ont peint des oeufs de Pâques.
Ils ont fixé un prix pour chaque modèle.
Réponds aux questions portant sur les échanges possibles.

1. Tu échanges 1 oeuf gris contre des oeufs verts.
   Combien d'oeufs verts recevras-tu?

2. Dis combien d'oeufs tu recevras si tu échanges 2 oeufs violets contre:
   — des oeufs verts,
   — des oeufs rouges,
   — des oeufs bleus,
   — des oeufs jaunes,
   — des oeufs gris.

1. Trouve, à l'aide d'une calculatrice, les touches utilisées
   pour construire les suites logiques.
   Recopie ces suites dans ton cahier et ajoute les termes manquants.

2. Compose une suite de nombres et demande
   à une amie ou à un ami de la continuer.

UNE PHRASE POUR CHAQUE PROBLÈME

Tu as maintenant appris les quatre opérations:
l'addition, la soustraction, la multiplication et la division.

Indique quelle opération tu utiliserais
pour résoudre chacun des problèmes.

1. Stéphane a trois paquets de 8 billes
et six paquets de 3 billes.
Combien de paquets Stéphane a-t-il?

2. Suzie a acheté six paquets de 8 timbres.
Combien de timbres a-t-elle achetés?

3. Myriam a 42 petits gâteaux
dans des boîtes de 6 gâteaux.
Combien de boîtes de gâteaux a-t-elle?

4. Sandra a 44 cartes d'animaux différentes.
Elle en donne 25 à Juliette.
Combien de cartes lui reste-t-il?

5. Avec 48 petits carrés, Yen a fait
un rectangle de 6 carrés de largeur.
Quelle est la longueur de ce rectangle?

6. Julien a quatre fois plus de bâtonnets
que Luc. Luc a 9 bâtonnets.
Combien de bâtonnets Julien a-t-il?

7. Au Monopoly, Noémie a cinq fois moins
de terrains que Félix. Félix a 15 terrains.
Combien de terrains Noémie a-t-elle?

8. Barbara a 6 livres de moins que Dino.
Barbara a 12 livres.
Combien de livres Dino a-t-il?

DES PROBLÈMES DOUBLES

Enrichissement

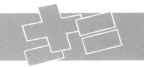

Pour résoudre chaque problème, tu devras faire deux opérations.
Suis la démarche illustrée et réponds dans ton cahier.

Ton dessin

Ta phrase

Ta réponse

1. Mathieu achète six paquets de 8 cartes chacun.
   En ouvrant ses paquets, il se rend compte
   qu'il a déjà 12 de ces cartes dans sa collection.
   Combien de nouvelles cartes ajoutera-t-il à sa collection?

2. Madame Lemire achète quatre paquets de 8 gâteaux.
   À la maison, elle a déjà 6 gâteaux.
   Combien de gâteaux a-t-elle?

3. Justine a 36 petites autos de collection.
   Elle a quatre boîtes de 6 petites autos.
   Les autres autos ne sont pas dans des boîtes.
   Combien y a-t-il d'autos qui ne sont pas dans des boîtes?

4. Jacques a vu passer sur la route quatre camions
   contenant chacun 8 véhicules.
   Parmi tous ces véhicules, il y avait 6 camions
   et les autres étaient des automobiles.
   Combien d'automobiles Jacques a-t-il vues?

5. Un train de cinq wagons transporte 8 véhicules par wagon.
   Un seul de ces wagons contient des automobiles.
   Dans les autres wagons, il y a des camions.
   Combien de camions le train transporte-t-il?

TOTO, LE LAPIN

Toto, le lapin, ne sait pas quel chemin prendre.
Tu vas devoir le diriger.

Par exemple, pour aller au puits,
Toto doit suivre les consignes suivantes :

AV 4, GA 90, AV 3

Explique le code utilisé.

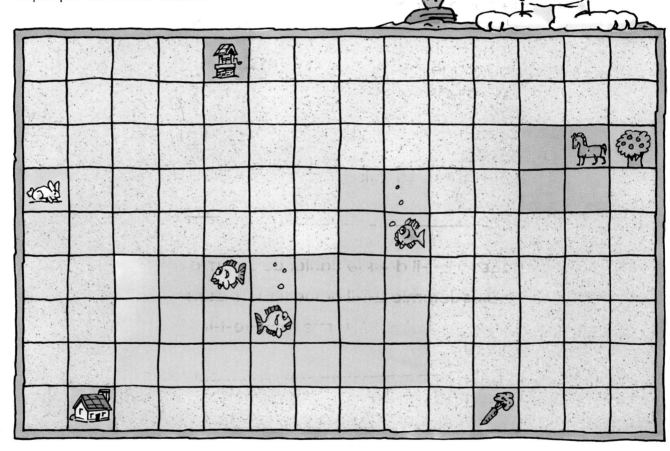

1. Trouve le code pour mener Toto de son point de départ :
   a) à la carotte ;
   b) au pommier.

2. S'il partait du puits, Toto serait-il plus près
   de la carotte ou du pommier ?
   Décris les deux trajets.

3. Compare tes codes à ceux d'une amie ou d'un ami.

ÉPREUVE 5
49 à 60 km

Lis bien le texte *L'album de Jérémie*.
Il contient les données qu'il te faut
pour résoudre les problèmes 1 à 4.

L'album de Jérémie

Jérémie vient de commencer
une collection de timbres.
Son petit cahier peut contenir 80 timbres.
Il y a 10 timbres par page.
Jérémie a déjà 18 timbres du Canada
et 14 timbres des États-Unis.
Toutes les semaines, Jérémie reçoit
12 nouveaux timbres par la poste.
Jérémie est très fier de sa collection.

1. **Combien de pages y a-t-il dans le cahier de Jérémie ?**

2. **Combien de timbres Jérémie a-t-il actuellement dans sa collection ?**

3. **Combien de nouveaux timbres Jérémie recevra-t-il
   au cours du prochain mois ?**

4. **Jérémie aura-t-il assez de place dans son album pour tous
   les timbres qu'il recevra au cours du prochain mois ?**
   Explique ta réponse.
   32 + 48 + 12 =

5. Dans l'album de Patricia,
   il y a 22 cartes des joueurs du Canadien
   et 16 des joueurs des Nordiques.
   Quel est l'âge du père de Patricia ?

6.

Sous le chapiteau d'un cirque,
il y a 4 chiens, 3 oiseaux et 3 chevaux.
Combien de pattes y a-t-il en tout?

7. Au jeu de Monopoly, Sandra a reçu 230 $ en billets de 10 $.
   Combien de billets lui a-t-on remis?

8. Observe le tableau.
   Il indique le nombre de points marqués
   par chacune des équipes de mini-basket
   de l'école.
   **Quelle équipe est maintenant
   en quatrième position?**

Équipe	Points
Cougars	484
Lynx	840
Lions	804
Ours	404
Tigres	480

9. Écris les lettres qui correspondent aux lignes qui sont des axes de symétrie.

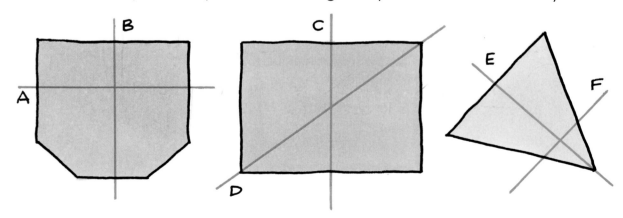

10. Toutes les semaines, Julien reçoit 10 $
pour les travaux de la maison.
**Aura-t-il les 129 $ qu'il espérait déposer
en banque au bout de dix semaines?**
Explique ta solution.

11.

**Si tu traces des traits à chaque centimètre sur un ruban
de deux mètres, combien de traits feras-tu?**

**12. Combien de nombres de trois chiffres plus grands que 430
peux-tu composer à partir des chiffres 4, 2 et 5?**

Lis bien le texte *La saison de hockey de Frida*.
Il contient les données qu'il te faut
pour résoudre les problèmes 1 à 5.

La saison de hockey de Frida

La saison de hockey de Frida
se terminera bientôt.
Son équipe a gagné 19 parties,
en a annulé 6 et en a perdu 17.
Au classement, une victoire donne 2 points
et une partie nulle 1 point.
Frida a marqué 14 buts et elle a fait
plusieurs passes.
Elle est deuxième au total des buts
et des passes avec 31 points.
Bravo Frida!

---

1. **Combien de parties l'équipe de Frida a-t-elle jouées?**

2. **Est-ce que l'équipe de Frida a accumulé plus de 40 points au classement?** Explique ta réponse.

3. **Combien de points Frida a-t-elle pour ses passes jusqu'à maintenant?**

4. **Combien de parties ne se sont pas terminées par un match nul?**

5. L'équipe de Marco a gagné 20 parties et en a perdu 22.
Est-ce que l'équipe de Marco a plus de points que celle de Frida?
Explique ta solution.

6. **Trouve trois nombres consécutifs dont la somme est 93.**

7. Décalque les figures suivantes.
Trouve, avec un miroir, les axes de symétrie.
Trace-les sur les figures décalquées.

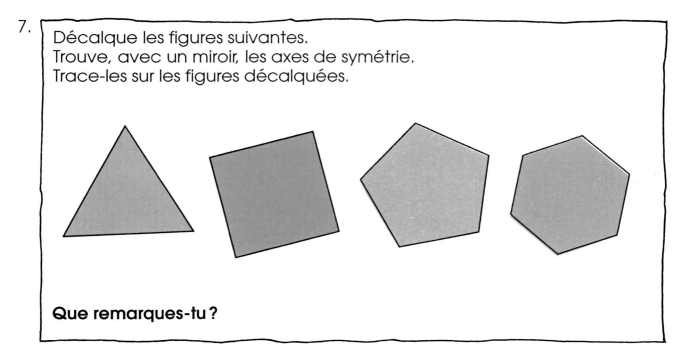

Que remarques-tu ?

8. Dessine sur une feuille blanche à l'aide
d'une règle et d'un crayon :
- un arbre de 17 cm de haut.
- un oiseau de 5 cm de large.
- une voiture de 1 dm de large.

9. Madame Julien paie son ordinateur neuf
avec les billets suivants :

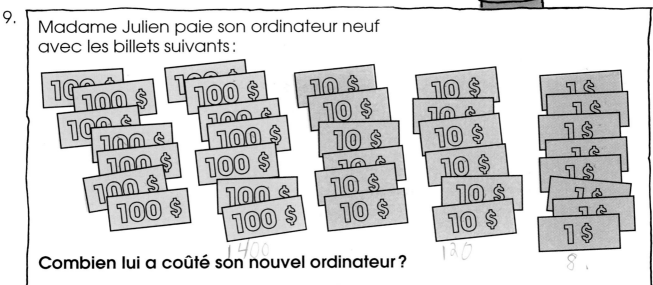

Combien lui a coûté son nouvel ordinateur ?

10.

Les amis de la classe de Laurent ont tracé
un parcours dans la cour d'école.
Ils ont écrit les différentes mesures.

**Si tu suis ce parcours en marchant,
combien de mètres franchiras-tu ?**

20 dm

100 cm

30 dm

11. L'anniversaire de naissance de Jasmine est le 12 mai.
Celui de Myriam est le 16 décembre.
Qui est la plus âgée ?

12. Je cherche un nombre compris entre 830 et 900
qui a le chiffre 5 à la position des dizaines et des unités.
Quel est ce nombre ?

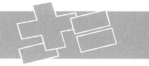

JEU DE FLÉCHETTES

Tania et ses amis ont établi les règles suivantes au jeu de fléchettes.
S'ils atteignent la section bleue, ils ajoutent les points indiqués à leur total.
S'ils atteignent la section rouge, ils enlèvent les points de leur total.

1. Patrick a 38 points. Il lance trois fléchettes dans
   la section bleue et obtient un total de 54 points.
   Combien de points a-t-il maintenant?

2. Je cherche combien Tania avait de points après quatre jeux.
   Elle a gagné 39 points au cinquième jeu.
   Elle a maintenant 90 points après cinq jeux.

3. Myriam avait 46 points. Après son troisième jeu, elle a 82 points.
   Combien de points a-t-elle gagnés à son troisième jeu?

4. Je cherche combien de points France
   avait accumulés après trois jeux.
   Au quatrième jeu, elle a perdu 29 points
   et elle a maintenant 38 points.

5. Olivier a 52 points. Après son troisième jeu, il a 37 points.
Combien de points a-t-il perdus?

6. Benito a 46 points. Il perd 19 points au quatrième jeu.
Combien de points lui reste-t-il?

7.

PRÉNOM	POINTS
ALEX	38
MARIE	80
TRISTAN	64
NICOLE	57

Voici le nombre de points
de quatre joueurs après
leur troisième jeu.

Trouve les points de chacun après
le quatrième jeu que voici.
Qui a maintenant
le plus de points?

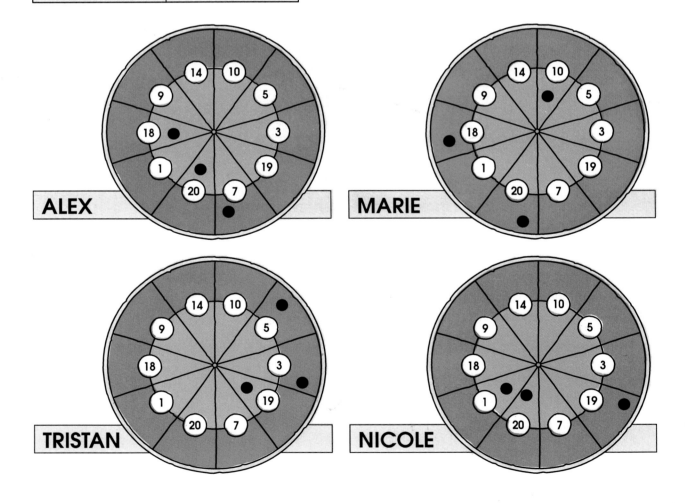

ALEX

MARIE

TRISTAN

NICOLE

ME RECONNAIS-TU ?

Observe les solides et rappelle-toi les principales caractéristiques de chacun.

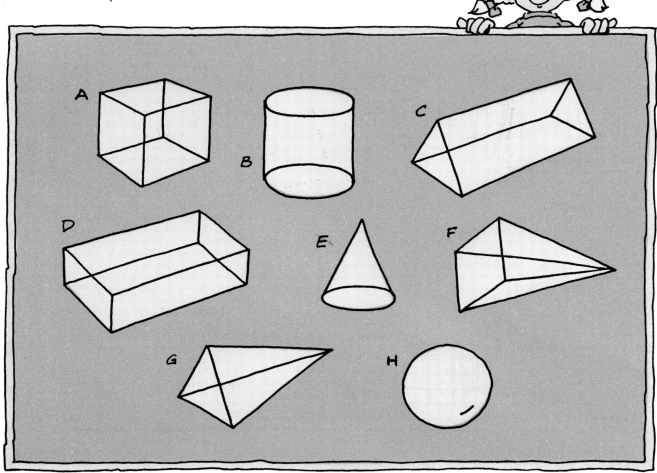

Associe chaque description à un ou à plusieurs solides.
Donne la ou les lettres correspondantes.

1. J'ai un sommet, 1 face courbe et 1 face plane.

2. Je n'ai aucun sommet et aucune arête, j'ai 1 face courbe.

3. J'ai 6 sommets, 9 arêtes et 5 faces.

4. J'ai 4 sommets, 6 arêtes et 4 faces.

5. Je n'ai pas de sommet, j'ai 2 arêtes, 1 face courbe et 2 faces planes.

6. J'ai 8 sommets, 12 arêtes et 6 faces.

7. J'ai 5 sommets, 5 faces et 8 arêtes.

Moi aussi,
j'ai des arêtes!

Je te propose deux jeux amusants à faire avec une amie ou un ami.

L'ÉCRAN MYSTÉRIEUX

Matériel

- Une série de solides en bois, en plastique ou en carton.
- Une grand feuille de carton pliée pour faire un écran.

Règles

Les joueurs sont face à face et l'écran les sépare.
À tour de rôle, une joueuse ou un joueur choisit une pièce, la cache derrière l'écran et la décrit à son adversaire.
L'autre essaie de deviner la pièce cachée.

LE SAC À MALICES

Matériel

- Une série de solides en bois ou en plastique.
- Un sac opaque.

Règles

Une joueuse ou un joueur dépose un solide dans le sac et le passe à son adversaire.

En palpant le solide dans le sac, l'autre doit deviner de quoi il s'agit et le nommer.

DÉCOUVERTES

Effectue
le travail demandé
sur la grille de nombres
que tu recevras.

1	2	3	4	5	6	7	8	9	10
11	12	13	14	15	16	17	18	19	20
21	22	23	24	25	26	27	28	29	30
31	32	33	34	35	36	37	38	39	40
41	42	43	44	45	46	47	48	49	50
51	52	53	54	55	56	57	58	59	60
61	62	63	64	65	66	67	68	69	70
71	72	73	74	75	76	77	78	79	80
81	82	83	84	85	86	87	88	89	90
91	92	93	94	95	96	97	98	99	100

1. Encercle en bleu les multiples de 2.
   Décris le modèle que tu vois.

2. Trace un **X** jaune sur les multiples de 5.
   Décris le modèle ainsi formé.

3. Quel autre ensemble de multiples
   donnerait un modèle ainsi formé ?

4. Quels nombres sont à la fois encerclés
   et marqués d'un **X** ?

5. Pourquoi certains nombres sont-ils encerclés
   et marqués d'un **X** ?

6. Si tu continuais le tableau au-delà de 100,
   peux-tu prévoir quels nombres seraient :
   encerclés, pour les multiples de 2 ?
   marqués d'un **X**, pour les multiples de 5 ?

DES OBSERVATIONS

Observe bien les facteurs et les produits dans le tableau de multiplication. Écris tes réponses dans ton cahier.

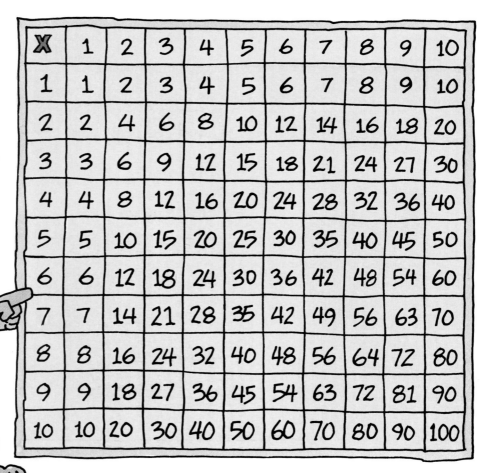

X	1	2	3	4	5	6	7	8	9	10
1	1	2	3	4	5	6	7	8	9	10
2	2	4	6	8	10	12	14	16	18	20
3	3	6	9	12	15	18	21	24	27	30
4	4	8	12	16	20	24	28	32	36	40
5	5	10	15	20	25	30	35	40	45	50
6	6	12	18	24	30	36	42	48	54	60
7	7	14	21	28	35	42	49	56	63	70
8	8	16	24	32	40	48	56	64	72	80
9	9	18	27	36	45	54	63	72	81	90
10	10	20	30	40	50	60	70	80	90	100

1.
   a) Combien de fois le nombre 10 apparaît-il dans ce tableau ?
   b) Note les facteurs de 10.

2.

   a) Choisis un autre nombre.
   b) Combien de fois ce nombre apparaît-il dans le tableau ?
   c) Note les facteurs de ce nombre.

3.
Sur le tableau, quels sont les produits qui apparaissent a) 1 fois ? b) 2 fois ? c) 3 fois ? d) 4 fois ? e) 5 fois ?

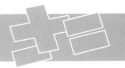

4.

Voici un carré de quatre nombres tiré du tableau de multiplication.

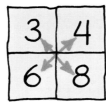

a) Quel est le produit des sommets opposés ? Que remarques-tu ?

b) Note un autre carré de quatre nombres. Ce que tu avais remarqué est-il toujours vrai ?

5.

Note tes observations à partir d'un carré de neuf nombres.

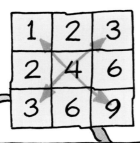

a) Inscris ton carré. Quel est le produit des sommets opposés ?

b) Choisis un nouveau carré de neuf nombres. Que remarques-tu ?

6.

a) Choisis un rectangle de deux nombres sur trois. Quel est le produit des sommets opposés ?

b) Essaie avec un autre rectangle. Que remarques-tu ?

7.

a) Choisis un rectangle de quatre nombres sur trois. Quel est le produit des sommets opposés ?

b) Essaie avec un autre rectangle. Que remarques-tu ?

DES ÉQUIPES MIXTES

Pour une activité sportive, Myriam forme des équipes mixtes.
Dans chaque cas, trouve le nombre de combinaisons
différentes que Myriam peut faire.

1. ÉQUIPES DE 2

Garçons

Vincent
René
Louis

Filles

Julie   Monica
Martine   France
Lyne   Sonia
Véronique   Caroline
Valérie

2. ÉQUIPES DE 2

Garçons

Patrick
Jérémie
Benoît
André
Luc

Filles

Chloé   Louise
Myriam   Renée
Anne   Marie
Geneviève   Hélène
Nicole

3. ÉQUIPES DE 2

Garçons

Gilles   Marc
Alexandre Frank
Pepito   François

Filles

Josée
Émilie
Francine
Nancy

4. ÉQUIPES DE 3 AVEC 1 GARÇON

Garçons

Marc
Steve
Simon

Filles

Claire
Linda
Nathalie

EN ÉQUILIBRE

1. Quelles sont les deux façons de rétablir l'équilibre des plateaux?

Quelles phrases mathématiques correspondent à ces deux façons?

2. Tu as plusieurs masses à ta disposition.
Trouve celles qu'il faudrait pour rétablir l'équilibre
de chacune des balances suivantes et écris
dans ton cahier les phrases mathématiques
correspondantes.

DES BALANCES SYMBOLIQUES

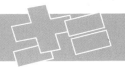

1. Reproduis sur ton pupitre chaque situation avec ton matériel.
   Trouve le terme manquant et écris la phrase mathématique complète
   dans ton cahier.

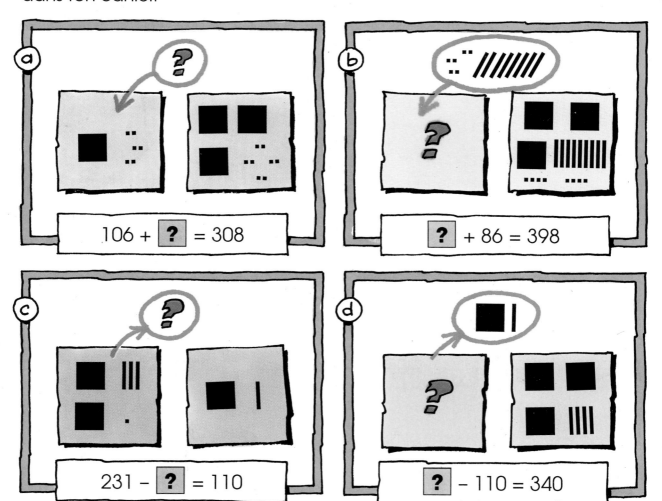

a) 106 + [**?**] = 308

b) [**?**] + 86 = 398

c) 231 − [**?**] = 110

d) [**?**] − 110 = 340

2. Avec ton matériel, trouve le terme manquant dans les phrases suivantes.
   Écris les phrases complétées dans ton cahier.

a) 106 + [**?**] = 202

b) [**?**] + 96 = 307

c) [**?**] − 236 = 112

d) 700 − [**?**] = 492

e) 307 = [**?**] + 196

f) 638 = 196 + [**?**]

g) 96 = [**?**] − 164

h) 109 = 734 − [**?**]

JEUX D'OMBRES

Voici la projection des faces de sept solides différents.
Écris le nom de chacun dans ton cahier.

A

B

C

D

E

F

G

Trouve la **question** correspondant à chaque définition.
Écris les réponses dans ton cahier de travail.

Définitions

A. Un solide composé de quatre triangles et d'un carré.

B. Un solide formé de six carrés.

C. Un solide formé d'un rectangle et de deux cercles.

D. Un solide formé de quatre rectangles et de deux carrés.

E. Un solide composé de quatre triangles.

F. Un solide composé de deux triangles et trois rectangles.

G. Un solide formé de six rectangles.

Questions

1. Qu'est-ce qu'un prisme triangulaire?

2. Qu'est-ce qu'un cylindre?

3. Qu'est-ce qu'une pyramide à base triangulaire?

4. Qu'est-ce qu'un cube?

5. Qu'est-ce qu'un prisme rectangulaire?

6. Qu'est-ce qu'un prisme à base carrée?

7. Qu'est-ce qu'une pyramide à base carrée?

DES SUITES

Regarde bien les suites présentées.
Sur une feuille de papier pointé, dessine deux éléments pour continuer chacune des suites.
Trouve les produits.

1.

| $1 \times 5 = ?$ | $2 \times 5 = ?$ | $3 \times 5 = ?$ | $4 \times 5 = ?$ | $5 \times 5 = ?$ |

2.

| $7 \times 3 = ?$ | $6 \times 3 = ?$ | $5 \times 3 = ?$ | $4 \times 3 = ?$ | $3 \times 3 = ?$ |

3.

| $2 \times 3 = ?$ | $3 \times 4 = ?$ | $4 \times 5 = ?$ | $5 \times 6 = ?$ |

4. À ton tour, illustre une suite de trois multiplications.
   Demande à une amie ou à un ami de la continuer.

Sur chaque domino, les points représentent deux nombres.
Avec ces nombres, fais trois phrases mathématiques :
une addition, une soustraction et une multiplication.
Écris ces phrases dans ton cahier.

Si tu as un vrai jeu de dominos double-neuf, tu peux jouer avec tes
amis ou tes parents. Tu tires un domino et tu donnes les trois phrases
mathématiques correspondantes.

UN CLUB D'ÉCHANGE

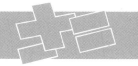

Philippe et ses amis font partie d'un club d'échange de timbres.
Résous les problèmes en dessinant tes solutions sur les boîtes à calculer.

1. Jacinthe a 186 timbres dans sa collection. Elle achète un paquet de 64 timbres.
Combien de timbres Jacinthe a-t-elle dans sa collection ?

2. Samuel a 206 timbres. Il donne tous ses timbres du Canada à Nathalie. Il lui reste maintenant 138 timbres. Combien de timbres du Canada Samuel avait-il dans sa collection ?

3. Je cherche le nombre de timbres que Laurent avait dans sa collection. Après avoir donné 61 timbres à Pierre, il lui reste 188 timbres. Combien de timbres Laurent avait-il dans sa collection ?

4. Je cherche le nombre de timbres que Fanny avait avant d'acheter un paquet de 128 timbres. Après son achat, elle a 502 timbres dans sa collection.

5. Pascal a 316 timbres. Il achète plusieurs paquets de timbres. Il a maintenant 692 timbres. Combien de timbres Pascal a-t-il achetés ?

6. Mathilde a 208 timbres. Elle en donne 39 à Kan et plusieurs à Jérémie. Il lui reste 61 timbres. Combien Mathilde a-t-elle donné de timbres à Jérémie ?

1. Observe les panneaux de signalisation. Trouve combien de figures différentes chacun contient et nomme-les.

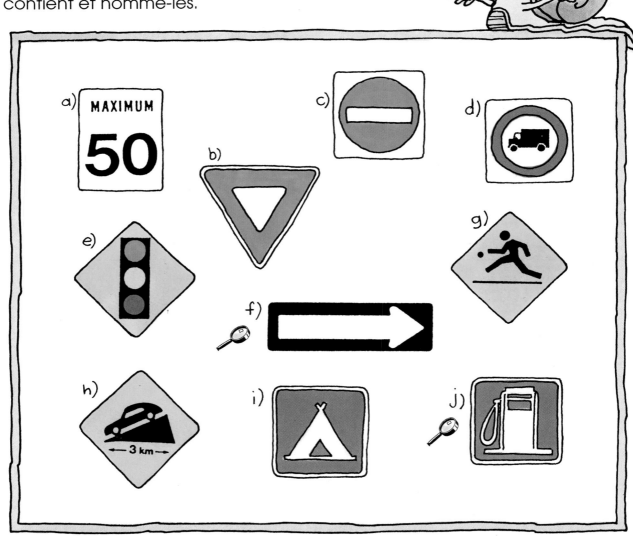

2. Trouve le triangle dans ce panneau.

S'AMUSER AVEC LES OPÉRATIONS $\boxed{\times}$

$$6 \times 2 + 4 = 16$$
$$2 \times 4 - 6 = 2$$
$$6 \times 4 - 2 = 22$$
$$2 \times 4 + 6 = 14$$
$$6 \times 2 - 4 = 8$$
$$6 \times 4 + 2 = 26$$

Voici ce que tu peux faire avec les nombres **2**, **4** et **6** et les signes d'opérations **+**, **–** et **x**.

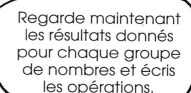

Regarde maintenant les résultats donnés pour chaque groupe de nombres et écris les opérations.

---

① 3 4 5

a) ? x ? + ? = 17

b) ? x ? + ? = 23

c) ? x ? – ? = 7

d) ? x ? – ? = 11

② 1 6 7

a) ? x ? + ? = 13

b) ? x ? – ? = 41

c) ? x ? – ? = 1

d) ? x ? + ? = 43

③ 1 2 3 4

a) ? x ? + ? – ? = 13

b) ? x ? – ? + ? = 3

c) ? x ? + ? + ? = 9

d) ? x ? – ? – ? = 4

④ 5 6 7 8

a) ? x ? – ? – ? = 45

b) ? x ? + ? – ? = 31

c) ? x ? + ? + ? = 45

d) ? x ? – ? + ? = 46

Très amusant...

Qu'est-ce qu'on fait maintenant ?

1. Place-toi avec une amie ou un ami et complétez oralement les tableaux suivants.
   Attention, on a joué avec l'ordre des nombres.
   Regarde bien chaque colonne et chaque rangée.

a)

X	1	3	2	5	4
2	?	?	?	?	?
5	?	?	?	?	?
3	?	?	?	?	?
1	?	?	?	?	?
4	?	?	?	?	?

b)

X	6	9	7	5	8
9	?	?	?	?	?
7	?	?	?	?	?
5	?	?	?	?	?
8	?	?	?	?	?
6	?	?	?	?	?

c)

X	0	3	2	1	4
9	?	?	?	?	?
5	?	?	?	?	?
8	?	?	?	?	?
6	?	?	?	?	?
7	?	?	?	?	?

2. Quel truc utilises-tu pour retenir les produits quand tu multiplies:
   a) par 0?   b) par 1?   c) par 2?   d) par 5?   e) par 9?

DES PIÈCES DE MONNAIE

Il existe diverses façons de représenter les sommes d'argent.

Par exemple, voici trois façons de représenter la somme de 10 ¢.

Reproduis dans ton cahier les sommes représentées et effectue les échanges demandés.

ORDRE DANS LA DÉMARCHE

Pour résoudre efficacement un problème, il faut prévoir les étapes à suivre, la **démarche**. Lis le problème qu'on te présente et observe bien les étapes que Judith a suivies pour résoudre ce problème.

Emmanuel et Caroline plantent des conifères.

Emmanuel a planté 225 épinettes.

Caroline en a planté 218.

Quelques semaines plus tard, seulement 329 plants ont poussé.

Combien de plants n'ont pas poussé ?

Je me demande d'abord ce que je cherche: le nombre de plants qui n'ont pas poussé.

Je trouve ensuite le nombre total d'épinettes plantées.
Je représente le nombre de plants d'Emmanuel et de Caroline.
Je relie ces deux nombres.

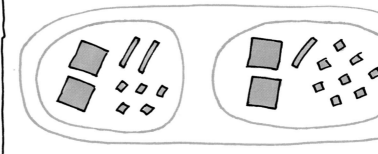

J'enlève à ce total le nombre de plants qui ont poussé.

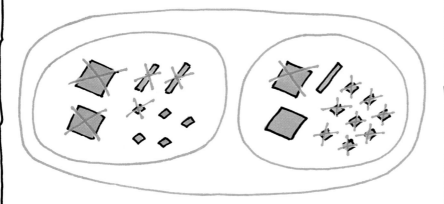

Il reste donc 114 qui représente les plants qui n'ont pas poussé.

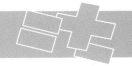

À ton tour maintenant!
Trouve l'ordre des étapes de la démarche,
inscris les lettres dans ton cahier,
puis fais les opérations nécessaires
pour trouver les solutions.

1. Mélanie a 500 circulaires à distribuer.
Samedi, elle en a distribué 237
et dimanche, 198.
Combien de circulaires lui
reste-t-il à distribuer?

Démarche

A. J'enlève le nombre de circulaires distribuées au nombre total de circulaires.

B. Je représente le nombre de circulaires que Mélanie a distribuées samedi et dimanche, puis je les rassemble.

C. Je me demande ce que je cherche: le nombre de circulaires qui reste à distribuer.

2. À l'école Pie X, il y a 436 élèves.
À l'école Mirabel, il y a 93 élèves
de plus.
Combien y a-t-il d'élèves en tout
dans ces deux écoles?

Démarche

A. Pour trouver le nombre d'élèves de l'école Mirabel, je représente à nouveau le nombre d'élèves de l'école Pie X et j'y ajoute 93.

B. Je me demande ce que je cherche: le nombre d'élèves dans les deux écoles.

C. Je mets ensemble le nombre d'élèves de l'école Pie X et le nombre d'élèves de l'école Mirabel.

D. Je représente le nombre d'élèves de l'école Pie X.

Je te propose une façon originale
de résoudre les problèmes suivants.

Place-toi avec une amie ou un ami.
Lisez le problème, puis exécutez, à tour
de rôle, une étape de la démarche
à l'aide du matériel multibase.

Vous faites toutes les étapes jusqu'à
ce que le problème soit résolu.
C'est plus facile à deux!

1. Myriam a recueilli 254 $ pour des oeuvres de charité.
Elle remet 135 $ à l'UNICEF, 96 $ à OXFAM
et le reste ira à la Croix-Rouge.
Combien d'argent remettra-t-elle
à la Croix-Rouge ?

2. La collecte de fonds des scouts a rapporté 467 $.
L'an passé, on avait amassé 59 $ de moins.
Combien d'argent les scouts ont-ils amassé
durant les deux dernières années ?

3. Les huit classes de l'école Valmont ont amassé 25 $
chacune pour les oeuvres du cardinal Léger.
Le directeur ajoute 50 $ à la somme obtenue.
Combien d'argent l'école Valmont a-t-elle
envoyé à cette oeuvre de charité ?

4. Au téléthon Enfant Soleil, Judith
et ses amies ont récolté 108 $. Véronique et les membres
de son club de basketball ont amassé 89 $ de plus.
Combien ces deux groupes remettront-ils à l'organisation ?

PHRASES À COMPLÉTER

Observe comment Pedro procède pour compléter
la phrase mathématique suivante : **164 = 226 − ?**.

Pedro représente
les deux quantités
sur les plateaux
et il se demande quelle
quantité il doit enlever
sur le plateau de droite
pour rétablir l'équilibre.

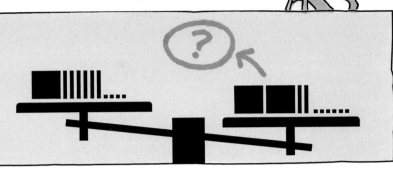

Pedro échange
1 plaque centaine contre
10 bâtonnets dizaines
sur le plateau de droite.

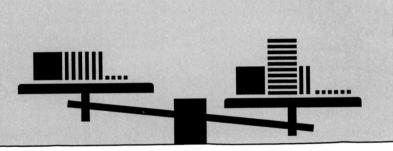

Pedro enlève sur le plateau
de droite la quantité nécessaire
pour rétablir l'équilibre.

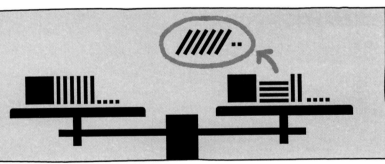

Il complète la phrase :
164 = 226 − 62

Procède de la même manière pour compléter les phrases suivantes.

a) 247 − ❓ = 184

b) 306 + ❓ = 402

c) ❓ + 109 = 300

d) ❓ − 168 = 80

e) 136 = 361 − ❓

f) 242 = 86 + ❓

g) 68 = ❓ − 102

h) 70 = ❓ − 168

i) 368 = ❓ + 196

j) 610 = ❓ + 384

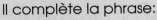

UNE MAISON

Choisis trois amis de ta classe.
Observez la maquette de cette maison et construisez
la vôtre après avoir lu les conseils pratiques.

Conseils pratiques

- Tu peux faire des arbres sur le terrain avec des cylindres
  surmontés d'une sphère ou d'un cercle.
- Tu peux coller des figures géométriques pour représenter
  les fenêtres, les portes, etc.
- Si tu veux des pièces symétriques, fais-les par pliage.
- Pour coller les pièces sur la base, fais des rabats.
- Tu peux utiliser des pailles, des cure-pipes, des boutons
  ou tout autre matériel de récupération.

CUBES DE TOUTES LES MANIÈRES

Lesquelles parmi ces boîtes dépliées peuvent former un cube ?
Écris les numéros dans ton cahier.

MAISONS D'OISEAUX

1. Voici des maisons d'oiseaux de formes différentes. Pour chacune, écris dans ton cahier le nom des pièces qu'il faut pour les construire et le nombre de pièces.

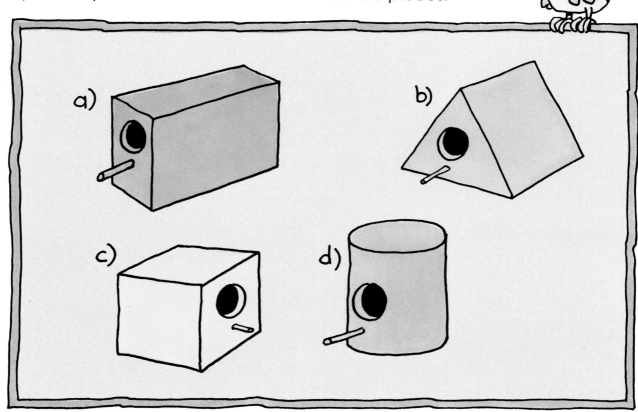

a)

b)

c)

d)

2. Voici le plan d'une autre maison d'oiseaux. Quelle est la figure qui correspond à chaque couleur?

JEUX DE CARTES

Choisis une amie ou un ami de la classe.
Utilisez un paquet de cartes à jouer pour mimer
les situations de jeu afin de les résoudre.
N'oublie pas : il y a 52 cartes dans un paquet.

1.

   Marco et Viviane déposent 8 cartes
   au centre de la table
   et se partagent le reste également.
   Combien de cartes chacun a-t-il ?

2. Au jeu de la marmotte, les joueurs font des paires
   et des trios avec les cartes de même valeur.
   Josuah a 5 paires et 4 trios.
   Véronique a 4 paires et 2 trios.
   Il leur reste maintenant le même nombre de cartes.
   Combien de cartes chacun a-t-il dans son jeu ?

   Hé, hé !

3.

   André et Lucette groupent
   deux paquets de cartes complets
   pour jouer à La dame de pique.
   Combien ont-ils de figures
   (rois, dames, valets) ?

4. Quel est le plus grand nombre de
   paires que tu peux faire avec les cartes
   de même valeur d'un paquet ?

5.

   Selon toi, peut-on placer toutes
   les cartes d'un paquet en trios de cartes
   de même valeur ?
   Explique.

AU ZOO

Dans un zoo, chaque espèce d'animal a une alimentation différente.
Voici le tableau aide-mémoire de la préposée aux animaux.
Utilise ces données pour répondre aux questions.
Aide-toi de ton matériel si nécessaire.

Menu des animaux
Quantités pour un animal.

Espèce	Nourriture	Quantité	Fréquence
Loup	viande	5 kg	3 fois/sem.
Éléphant	fruits, légumes	10 kg	2 fois/jour
Dauphin	poisson	10 kg	2 fois/jour
Otarie	poisson	6 kg	2 fois/jour
Gorille	fruits, légumes	4 kg	2 fois/jour
Singe	fruits, légumes	6 kg	1 fois/jour
Lion	viande	3 kg	1 fois/jour

1. Chaque jour, la préposée prépare 48 kg
   de fruits et légumes pour les gorilles.
   Combien y a-t-il de gorilles?

2. Pour nourrir les cinq otaries
   et les deux dauphins, il y a une réserve
   de 900 kg de poisson.
   Combien de jours durera la réserve?

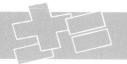

3. Il y a trois loups blancs et deux loups gris.
   Combien de kilogrammes de viande la préposée
   leur prépare-t-elle chaque semaine?

Grrrr...

4.

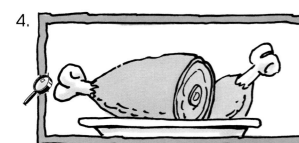

Quelle espèce d'animal
mange le plus de viande
en une semaine?
Explique.

5. Combien de kilogrammes de fruits
   et de légumes la préposée prépare-t-elle
   chaque jour pour les six éléphants?

6.

Combien de kilogrammes
de poisson la préposée prépare-t-elle
chaque jour pour les cinq otaries
et les deux dauphins?

7. Quelle est la différence entre le nombre
   de kilogrammes de fruits et légumes qu'un gorille
   et un singe mangent en une semaine?

8.

Trouve l'espèce qui mange
le plus dans une semaine selon
les catégories de nourriture:
• fruits et légumes,
• viande,
• poisson.

OPÉRATIONS RÉVERSIBLES

Didier et Sarah ont rétabli l'équilibre de deux façons différentes.
Explique ce qu'ils ont fait.

Nos deux amis ont représenté leurs manipulations à l'aide de ce diagramme.

Explique pourquoi ce diagramme représente les manipulations de nos amis.

Observe les cinq situations qui suivent.
Dessine dans ton cahier le diagramme qui correspond à chacune.

1.

2.

3.

4.

5.

Grâce aux diagrammes, Marco a trouvé la valeur
qu'il cherchait dans chacune des phrases mathématiques.
Explique sa façon de procéder.

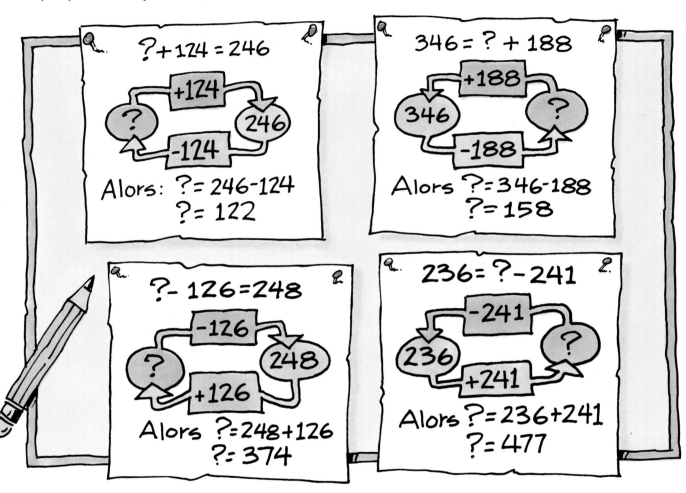

?+124 = 246

Alors : ?= 246-124
?= 122

346 = ? + 188

Alors ?= 346-188
?= 158

? - 126 = 248

Alors ?= 248+126
?= 374

236 = ? - 241

Alors ?= 236+241
?= 477

Complète les phrases suivantes en utilisant la façon de Marco.

a) [**?**] + 246 = 484   b) 537 = [**?**] + 469

c) [**?**] – 248 = 287   d) 837 = [**?**] – 87

e) [**?**] + 431 = 607   f) 738 = [**?**] + 387

g) [**?**] – 376 = 408   h) 638 = [**?**] – 237

i) [**?**] – 268 = 387   j) 651 = [**?**] – 167

Sais-tu comment trouver le terme manquant dans une phrase mathématique comme celle-ci ?

$186 + ? = 339$

Voici un truc.
Fais le même travail avec des nombres plus petits.

$1 + ? = 3$

Tu trouves facilement :

$? = 3 - 1$

Donc, l'opération à faire avec les grands nombres est :

$? = 339 - 186$

Avec ta calculatrice, tu trouves :

$339 - 186 = 153$

Bip Bip

Tu peux aussi vérifier, dans ta phrase mathématique de départ, que :

$186 + 153 = 339$

Regarde les phrases mathématiques suivantes.
Tu peux utiliser ta calculatrice pour les résoudre, mais tu dois d'abord trouver l'opération à faire en travaillant avec des petits nombres.
Refais la démarche dans ton cahier.

a) $536 - \boxed{?} = 438$

b) $296 = 106 + \boxed{?}$

c) $\boxed{?} + 347 = 538$

d) $640 = \boxed{?} + 368$

e) $\boxed{?} - 186 = 387$

f) $638 = \boxed{?} - 87$

g) $307 = 636 - \boxed{?}$

h) $318 + \boxed{?} = 900$

i) $186 = 308 - \boxed{?}$

j) $300 = \boxed{?} - 214$

Madeleine et Serge sont pépiniéristes.
Ils ont fait des semis l'automne dernier
et vendent maintenant leurs plants.

Dessine des rectangles semblables
à ceux-ci dans ton cahier et résous
les problèmes proposés.

Tes calculs :

Ta phrase :

Ta réponse :

1. Madeleine a semé 248 érables.
   Seulement 186 ont poussé.
   Combien en a-t-elle perdus ?

2.

   Je cherche le nombre d'ormes
   que Serge a vendus cette semaine.
   Il lui en reste 138. Il en avait 306.

3. Madeleine a 118 épinettes aujourd'hui.
   Elle en avait 202 il y a deux semaines.
   Combien a-t-elle vendu d'épinettes en deux semaines ?

4.

   Serge a semé 350 chênes.
   Malheureusement, les écureuils ont mangé
   125 glands, et 32 chênes n'ont pas poussé.
   Combien de chênes Serge pourra-t-il vendre ?

JEU À QUATRE OPÉRATIONS

1. Virginie a découvert quelque chose d'amusant
   en jouant avec les quatre opérations.
   Elle te propose le jeu suivant.

2. Essaie maintenant avec un nombre impair plus petit que 10.
   Suis la même démarche.
   Compare les résultats obtenus avec ceux d'une autre personne.

3. Choisis maintenant un nombre plus petit que 100.
   Suis la même démarche.
   Compare tes résultats à ceux d'une autre personne.

Julie veut rénover la vieille table du chalet
en la recouvrant de carreaux de céramique.
Regarde les illustrations et réponds
aux questions dans ton cahier.

1. Estime et trouve la surface
   de la table en carrés unités.

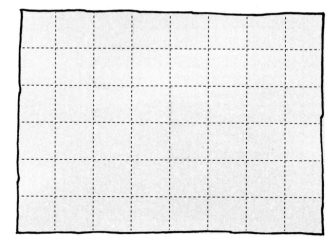

2. Julie peut choisir sa céramique parmi les modèles suivants.
   Estime et écris combien il lui faudra de morceaux dans chaque cas
   pour couvrir la surface de la table.

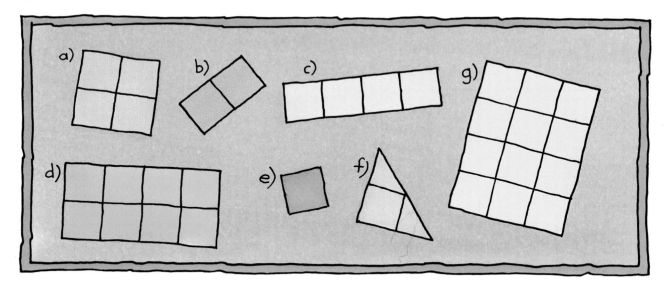

3. Avec quel modèle Julie utilisera-t-elle :
   a) le plus de morceaux de céramique ?
   b) le moins de morceaux de céramique ?

4. Nomme les modèles avec lesquels Julie utiliserait le même
   nombre de morceaux pour couvrir la table.

COUPLETS DE NOMBRES

Procède par essais et erreurs pour trouver les nombres cachés.
Souviens-toi :
– le résultat d'une addition est la somme,
– le résultat d'une soustraction est la différence,
– le résultat d'une multiplication est le produit.

Pour chaque problème, on te propose l'illustration de trois démarches.
Choisis la bonne, écris ta réponse dans ton cahier et explique ton choix.

1. Manuel a fait un casse-tête de 600 pièces en trois jours.
    Le premier jour, il a placé 247 pièces et le deuxième jour, 208.
    Combien a-t-il placé de pièces le troisième jour ?

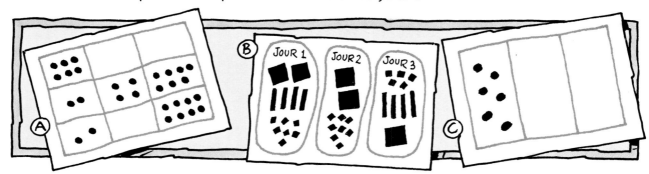

2. Valérie transporte 4 douzaines d'oeufs.
    Sur son chemin, elle casse 3 oeufs.
    Combien lui reste-t-il d'oeufs ?

3. Pierre choisit un livre sur les animaux.
    Ce livre compte cinq chapitres de 121 pages.
    Pierre a lu 164 pages.
    Combien de pages lui reste-t-il à lire ?

DES MUFFINS

Regarde la liste des prix au café «Le muffin doré».
Lis les situations suivantes et résous les problèmes en illustrant ta démarche.

Gratuit!
18 mini-bouchées
à l'achat
de 1 douzaine
de muffins

LE MUFFIN DORÉ

1 douzaine de muffins .... 4 $

1 douzaine de beignes .... 3 $

24 mini-bouchées .... 3 $

18 mini-bouchées .... 2 $

Café, thé, lait .... 1 $

C'est nous qui payons la taxe!

1. Gabrielle achète une douzaine de muffins
   et 24 mini-bouchées.

   a) Combien lui coûtera cet achat?
   b) Combien aura-t-elle de mini-bouchées?

2. Édouard prend deux douzaines de beignes et six cafés.
   Il paie avec un billet de 20 $.
   Combien d'argent la caissière lui remettra-t-elle?

3. Marie-Claude demande une douzaine de muffins
   aux bleuets et une demi-douzaine au chocolat.

   a) Combien lui coûtera cet achat?
   b) Combien aura-t-elle de muffins?

4. Émile achète des muffins et des beignes
   pour une fête. Son achat lui coûte 28 $.
   Il y a autant de beignes que de muffins.

   a) Combien Émile a-t-il de beignes?
   b) Combien reçoit-il de mini-bouchées gratuites?

Associe chaque illustration au problème qui lui correspond.

1 Je dois placer 48 stylos dans des étuis de plastique. Je place 3 stylos par étui. Combien d'étuis me faudra-t-il ?

a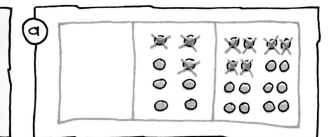

2 Au tournoi de basketball, huit équipes de 12 joueurs s'affrontent. Après neuf matchs, trois équipes sont éliminées. Combien reste-t-il de joueurs au tournoi ?

b

3 La directrice de l'école Clairsoleil organise un voyage à Baie-Comeau. Dans l'école, il y a 327 élèves et 23 adultes. Elle louera des autobus pouvant contenir 50 personnes. Combien devra-t-elle louer d'autobus ?

c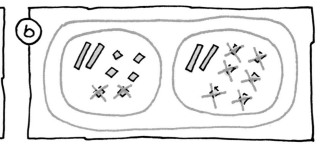

4 D'habitude, les 26 sièges doubles de l'autobus scolaire sont occupés. Aujourd'hui, il manque huit élèves. Combien y a-t-il d'élèves dans l'autobus ?

d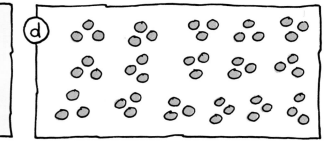

5 J'achète deux feuilles de timbres-poste de 2 ¢. Dans chaque feuille, il y a 5 rangées et 4 colonnes de timbres. Combien cela me coûtera-t-il ?

e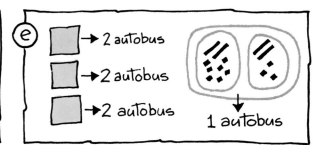

LES MEUBLES

Avec des cubes emboîtables, Daphné construit
des meubles pour sa maison de poupée.
Le nombre de cubes utilisé pour un meuble
constitue le volume de ce meuble.
Estime le volume des meubles de Daphné.

1. Reproduis chacun des meubles avec ton matériel et trouve son volume.

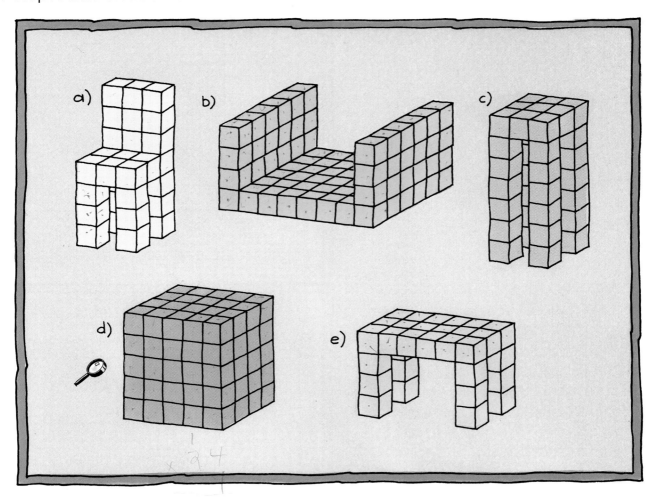

2. À l'aide des signes >, < et =, compare les volumes :
   a) de la chaise et du tabouret ;
   b) du coffre et du lit ;
   c) de la table, de la chaise et du tabouret.

3. À ton tour, construis un meuble et demande à une amie
   ou à un ami d'en trouver le volume.

Antoine fait différents modèles d'escaliers avec ses cubes.
Estime le volume de chacun de ces escaliers.
Refais les escaliers à l'aide de cubes emboîtables
et réponds aux questions qui te sont posées.

1. Voici le premier modèle
   d'escalier inventé par Antoine.
   a) Quel est le volume
      de ce solide?
   b) Combien de cubes
      dois-tu ajouter pour faire
      une sixième marche?
   c) Combien de cubes
      utiliserais-tu pour faire un
      escalier de dix marches?

2. Voici le deuxième modèle.
   a) Quel est le volume
      de ce solide?
   b) Pour ajouter une marche
      à l'escalier, combien de
      cubes te faut-il?
   c) Quel sera le volume du
      nouvel escalier si tu fais
      six marches?

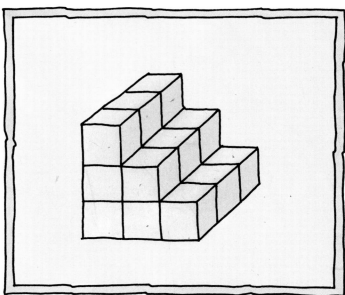

3. Le volume du troisième modèle d'escalier est de 24 cubes unités.
   Trouve l'arrangement qu'Antoine a fait pour ce modèle.

AU KIOSQUE ÉLECTRONIQUE

Observe les objets et leur prix et trouve la phrase mathématique qui correspond à chaque énoncé.

1. J'ai 200 $. J'aimerais acheter le jeu électronique. Ai-je assez d'argent ?

2. Je me demande combien coûtent un lecteur de disques compacts et un baladeur.

3. L'ordinateur coûte 255 $ de plus que le téléviseur.

4. J'achète le baladeur. Je donne un billet de 100 $. Combien d'argent me rendra-t-on ?

5. Steve a vendu un ordinateur et un baladeur. Une cliente lui retourne un jeu électronique. Quel est le montant total de ses ventes ?

DES PHRASES COMPLEXES

Sauras-tu trouver les termes manquants
dans ces phrases mathématiques ?
Tu peux t'aider de ta calculatrice.

a) $146 = ? + 86 + 37$

b) $186 + 207 = 118 + ?$

c) $336 - ? = 106 + 168$

d) $430 - 186 - ? = 124$

e) $? + 180 + 76 = 307$

f) $604 - ? + 174 = 703$

g) $? + 138 - 406 = 117$

h) $402 - 306 = ? - 408$

i) $316 + ? - 284 = 186$

j) $400 - ? = 108 + 84 - 16$

Corrige tes réponses
et vois où tu en es.

Points	Commentaire
9 et 10	Tu es super !
7 et 8	Tu te débrouilles bien !
5 et 6	Essaie de faire mieux...
0 à 4	Tu as besoin d'aide.

LA MAISON DE POUPÉE

Sylvain et Marie-Claude ont dessiné
le plan de leur maison de poupée
sur du papier quadrillé.
Observe ce qu'ils ont fait
et réponds aux questions.

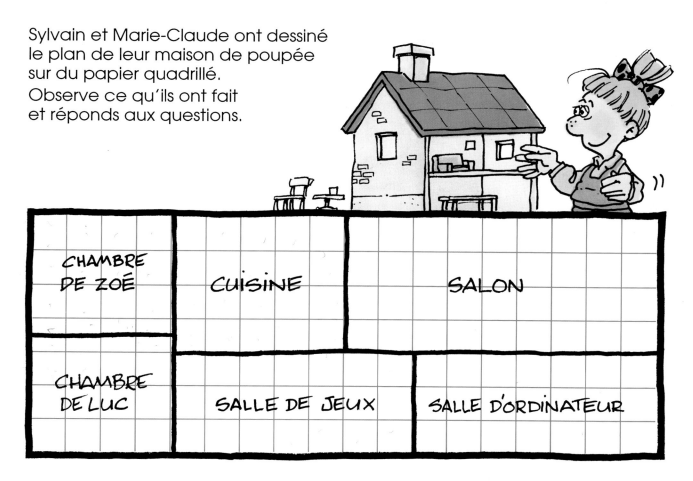

1. Quelle pièce a la plus grande surface :
   a) la cuisine ou la salle de jeux ?
   b) le salon ou la cuisine ?
   c) la salle de jeux ou la salle d'ordinateur ?
   d) le salon ou la chambre de Zoé et celle de Luc réunies ?

2. Dans quelles pièces pourrais-tu placer les meubles
   ayant les formes suivantes ? Explique tes réponses.

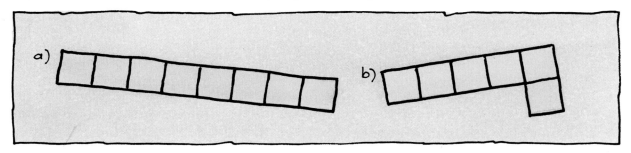

Mélissa travaille à la librairie Vézina.
Elle doit remplir des boîtes de livres.
Observe les illustrations et réponds aux questions.
Utilise tes cubes emboîtables pour t'aider à trouver les solutions.

UN JEU DE BLOCS

Regarde bien les deux groupes de solides.
Associe un solide rouge à un solide bleu afin de former un cube ou un prisme rectangulaire.
Trouve le volume de ce nouveau solide.
Utilise les cubes emboîtables si c'est nécessaire.

FRAISES ET CRÈME GLACÉE

À tous les mois de juin, les parents
de l'école Sainte-Cunégonde organisent
une soirée «Fraises et crème glacée».

Voici les dépenses
qu'ils ont faites.

- La crème glacée à la vanille a coûté 250 $.
- Les bénévoles ont préparé 12 boîtes de fraises.
- Chaque boîte de fraises a coûté 9 $.
- On a aussi utilisé 5 kg de sucre qui ont coûté 9 $ et 6 boîtes de biscuits à 4 $ chacune.

- On a vendu 180 billets d'adultes à 3 $ et 237 billets d'enfants à 1 $.
- La compagnie de crème glacée a donné 100 $ pour les fonds de l'école.

Voici les revenus
qu'ils ont réalisés.

Présente les données sous forme de tableaux
dans ton cahier et réponds aux questions.

1. Combien ont coûté les fraises?

2. Combien ont coûté les biscuits?

3. Combien y a-t-il d'articles dans les dépenses?

4. Reproduis ce tableau incomplet
et ajoute ce qui manque pour illustrer
le total des dépenses.

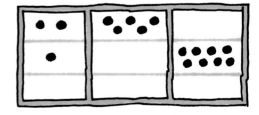

5. Qu'est-ce que ce dessin te permet de trouver?

6. Quels sont les revenus réalisés avec la vente de tous les billets d'entrée?

7. Quelle est la différence entre le revenu des billets d'adultes et celui des billets d'enfants?

8. Quel est le revenu total de cette soirée?

9. Combien restera-t-il à l'école après le paiement de toutes les dépenses?

10. Les parents de l'école Sainte-Cunégonde pourront-ils acheter une nouvelle balançoire à 250 $ pour la cour de l'école? Explique.

À L'UNITÉ

Utilise un tableau semblable à celui-ci
pour trouver dans chacun des problèmes
s'il est préférable d'acheter les objets
à l'unité ou en paquet.
Explique ton choix dans chaque cas.

	1	2	3	4	5	6	7	8
PRIX À L'UNITÉ								
PRIX AU PAQUET								

1. Le prix d'une boîte de balles est de 3 $.
   Un paquet de 4 boîtes de balles coûte 10 $.
   Achèteras-tu ces boîtes de balles
   à l'unité ou en paquet ?

2. Le prix d'un chandail est de 12 $.
   Un paquet de trois chandails se vend 30 $.
   Que choisirais-tu ?

3. Quel achat feras-tu ?
   Une paire de bas vaut 3 $.
   Un paquet de six paires de bas se vend 21 $.

4. À l'unité, trois crayons coûtent 48 ¢.
   Un paquet de cinq crayons coûte 75 ¢.
   Achèteras-tu les crayons à l'unité ou en paquet ?

Ben...
Si j'ai pas
besoin de
trois chandails...

...est-ce
que je suis
obligée
d'en
achete
trois

QUESTIONS À RÉFLEXION

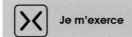

Lis les problèmes suivants et trouve quelles opérations
tu devrais faire pour les résoudre.
Écris seulement les signes **+**, **−**, **x**, **÷** dans ton cahier.

1. Tu as un jeu de 52 cartes.
   Tu en enlèves 24 et tu partages
   le reste en deux paquets égaux.
   Combien y aura-t-il de cartes
   dans chaque paquet ?

2. Dans un autobus scolaire, il y a
   deux rangées de 10 bancs.
   Il y a deux places sur chaque banc.
   Combien d'élèves peuvent
   monter dans cet autobus ?

3. Un fleuriste fait un arrangement
   avec trois bottes de 10 roses,
   six bottes de 8 marguerites
   et deux bottes de 5 oeillets.
   Combien y a-t-il de fleurs
   dans cet arrangement ?

4. Dans une salle de spectacle,
   la section A contient 360 places
   et la section B, 275.
   À la dernière représentation,
   il y avait 459 spectateurs.
   Combien restait-il de places ?

6. Les 18 passagers d'un minibus sont
   assis sur des banquettes doubles.
   Combien y a-t-il de banquettes
   dans le minibus?

5. Au parc d'attraction, 84 personnes
   attendent leur tour pour aller dans
   les montagnes russes.
   Il y a neuf wagonnets contenant
   8 personnes chacun.
   Combien de personnes devront
   attendre le prochain tour ?

BROUILLON D'OPÉRATIONS

Jordy a fait son devoir de mathématiques.
Voici la feuille où il a fait ses calculs au brouillon.
Transcris en ordre dans ton cahier les calculs qu'il a
effectués pour résoudre chaque problème.

$8 \times 5 = 40$
$3 \times 10 = 30$

$$\begin{array}{r} 40 \\ 30 \\ +20 \\ \hline 90 \end{array}$$

$9 \times 8 = 72$

$$\begin{array}{r} \cancel{7}^6 12 \\ -64 \\ \hline 8 \end{array}$$

$7 \times 6 = 42$

$$\begin{array}{r} \cancel{4}^3 12 \\ -3 \\ \hline 39 \end{array}$$

$7 \times 9 = 63$
$63 + 5 = 68$

$6 \times 9 = 54$

$$\begin{array}{r} 54 \\ +54 \\ \hline 108 \end{array}$$

1. La collection de cailloux de Sabrina est rangée dans sept tiroirs.
   Chaque tiroir est fait de neuf casiers individuels.
   Carmen donne 5 cailloux à Sabrina.
   Combien Sabrina a-t-elle de cailloux maintenant ?

2. Hugo va à la caisse. Il dépose 8 billets de 5 $, 3 billets de 10 $
   et 1 billet de 20 $.
   Combien d'argent Hugo a-t-il déposé ?

3. La commis d'épicerie doit placer huit caisses de jus sur les tablettes.
   Chaque caisse contient 9 boîtes. Elle a déjà sorti 64 boîtes.
   Combien de boîtes reste-t-il dans les caisses ?

4. Le préposé à l'équipement prépare les chandails
   et les pantalons pour les neuf joueurs des six équipes
   de baseball qui participeront au tournoi.
   Combien préparera-t-il de vêtements en tout ?

5. Les sept amis de Dominica ont apporté chacun un paquet
   de 6 canettes de jus de légumes pour la fête de l'été.
   À la fin, il reste 3 canettes pleines.
   Combien y a-t-il de canettes vides ?

PROBLÈMES À CONSIDÉRER $\boxed{\times}$

Résous les problèmes suivants à l'aide de phrases mathématiques.

1. Maryse achète 8 sucettes glacées.
   Elle sépare chaque sucette en deux moitiés
   et partage avec 11 amis. Combien restera-t-il de moitiés ?

2. Quel est le meilleur achat dans chaque situation ?

3. Pedro a économisé 3 $ par semaine pendant neuf semaines.
   Il vient de s'acheter une casquette de 21 $.
   Combien lui reste-t-il d'argent ?

4. Léonie veut couper 64 petits bouts de papier
   pour faire des billets de tirage.
   Elle fait 8 billets dans une feuille de papier.
   Elle a déjà utilisé cinq feuilles.
   Combien de feuilles utilisera-t-elle pour faire tous les billets ?

5. Jean-Pierre achète un rôti de 3 kg.
   Combien coûte chaque kilogramme de viande ?

6. M. Lebrun a planté huit rangées de plants
   de tomates dans son jardin.
   Chaque rangée comprend 7 plants.
   Il donne les 4 plants qui lui restent à son voisin.
   Combien avait-il de plants en tout ?

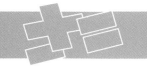

Chantal est bibliothécaire à l'école.
Elle vient de faire l'achat de nouveaux volumes.
Regarde bien le tableau qui suit et résous les problèmes
à l'aide de phrases mathématiques.

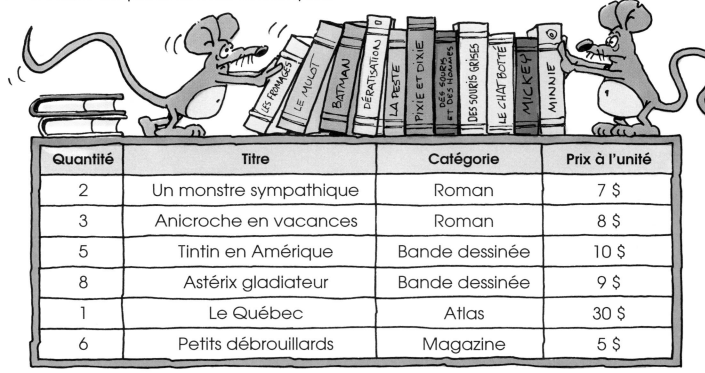

Quantité	Titre	Catégorie	Prix à l'unité
2	Un monstre sympathique	Roman	7 $
3	Anicroche en vacances	Roman	8 $
5	Tintin en Amérique	Bande dessinée	10 $
8	Astérix gladiateur	Bande dessinée	9 $
1	Le Québec	Atlas	30 $
6	Petits débrouillards	Magazine	5 $

1. Quel est le total de ces achats ?

2. Quel montant Chantal paiera-t-elle pour les romans ?

3. Compose une question utilisant les données
   du tableau et l'opération 6 x 5.

4. Quel est le montant total déboursé pour les bandes dessinées ?

5. Chantal avait 230 $ pour ses achats.
   Combien lui reste-t-il d'argent ?

6. Combien coûtent l'atlas et les bandes dessinées ensemble ?

7. La bibliothèque comptait 325 bandes dessinées.
   Combien en compte-t-elle maintenant ?

8. Compose une question à partir de la liste d'achats.

LA VITRINE

Alexandre fait le montage d'une vitrine.
Avec tes cubes emboîtables ou du papier quadrillé,
représente les modèles d'étalage demandés.

1. Alexandre doit placer 20 boîtes de crayons de couleur sur une table.
   Présente deux possibilités qui n'ont pas nécessairement la forme
   d'un prisme rectangulaire.

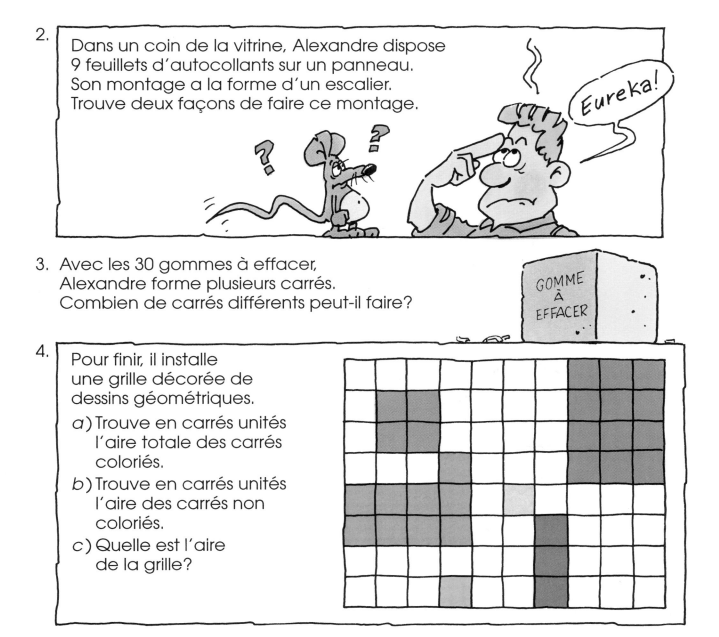

2. Dans un coin de la vitrine, Alexandre dispose
   9 feuillets d'autocollants sur un panneau.
   Son montage a la forme d'un escalier.
   Trouve deux façons de faire ce montage.

   Eureka!

3. Avec les 30 gommes à effacer,
   Alexandre forme plusieurs carrés.
   Combien de carrés différents peut-il faire?

   GOMME À EFFACER

4. Pour finir, il installe
   une grille décorée de
   dessins géométriques.

   a) Trouve en carrés unités
      l'aire totale des carrés
      coloriés.

   b) Trouve en carrés unités
      l'aire des carrés non
      coloriés.

   c) Quelle est l'aire
      de la grille?

L'OMBRE D'UN BLOC

Observe bien les blocs suivants.

1. Reproduis sur une feuille quadrillée toutes les faces de chacun des blocs. Trouve l'aire de chaque face différente. Utilise tes cubes emboîtables si c'est nécessaire.

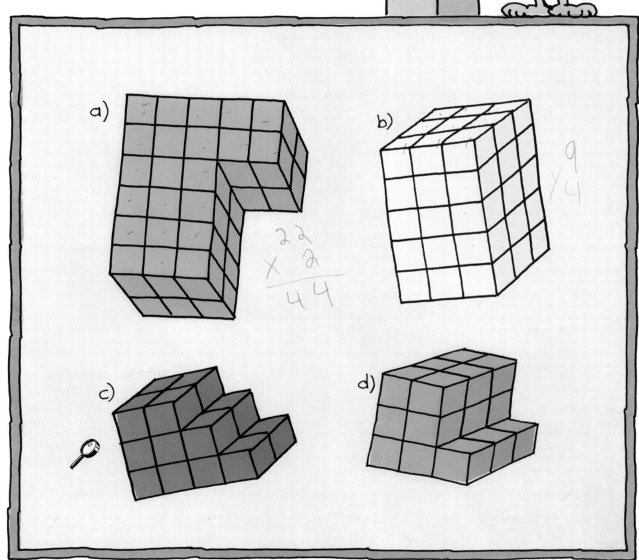

a)

b)

c)

d)

2. Trouve l'aire totale de chacun des blocs.

3. Trouve le volume de chaque bloc.

COUCOU!

BASKETBALL

Voici la manière dont on compte les points au basketball.

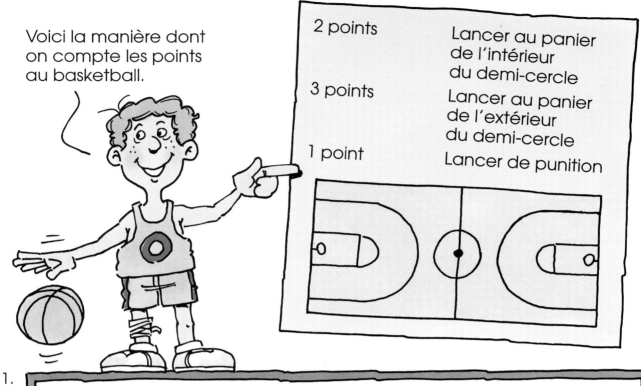

2 points	Lancer au panier de l'intérieur du demi-cercle
3 points	Lancer au panier de l'extérieur du demi-cercle
1 point	Lancer de punition

1.

Lors du match de samedi dernier, les Buffles ont réussi 3 lancers de la zone extérieure au demi-cercle, 8 lancers de la zone intérieure et deux lancers de punition.
Quel a été leur score pour ce match ?

2. L'équipe des Lions a obtenu 49 points.
Ils ont réussi 6 lancers de la zone extérieure et 9 de la zone intérieure du demi-cercle.
Combien ont-ils obtenu de points pour leurs lancers de punition ?

3.

Les Aigles sont en deuxième position au classement de la saison avec 165 points.
Au dernier match, ils ont obtenu 50 points.
Combien de points leur manque-t-il pour égaler les Lions qui sont premiers avec 248 points ?

Résous les problèmes suivants à l'aide de phrases mathématiques.

N'oublie pas:
1 heure = 60 minutes.

1. Germain loue la cassette d'un film de 88 minutes. Il commence à le visionner à 20 heures.
Germain a-t-il le temps de regarder tout le film s'il doit se coucher à 21 heures 30 ?

2. La classe de troisième année visionnera deux vidéos. Le premier, sur la vie des animaux marins, dure 43 minutes. Le deuxième, sur les oiseaux, dure 49 minutes.
Il y a 2 heures de classe durant l'après-midi.
Combien restera-t-il de minutes après le visionnement des deux vidéos ?

3. Carole a enregistré ses émissions préférées. Elle a 320 minutes d'enregistrement réparties sur deux cassettes.
Sur la première cassette, elle a quatre émissions de 30 minutes.
Combien y a-t-il de minutes d'enregistrement sur la deuxième cassette ?

4. Papa enregistre un film de 180 minutes.
Il efface toutes les pauses publicitaires de 3 minutes.
Il reste 156 minutes.
Combien y a-t-il eu de pauses publicitaires durant le film ?

5. Simon veut enregistrer une émission scientifique qui commence à 18 heures 10.
Ariane pourra-t-elle regarder ensuite son film qui dure 58 minutes si elle doit se coucher à 20 heures 15 ?

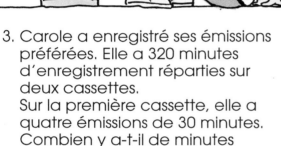

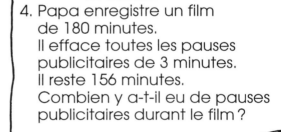

1. Le tableau suivant indique le nombre de points obtenus par les six meilleures équipes de basketball de l'école.

Équipe	Points
A	540
B	602
C	403
D	580
E	404
F	708

a) Combien de points l'équipe A a-t-elle de moins que l'équipe F ?

b) Combien de points l'équipe B a-t-elle de plus que l'équipe E ?

c) Compose une phrase à partir des points des équipes C et D et des expressions «de plus» ou «de moins».

2. Ajoute trois termes à cette suite et indique la règle de formation.

105 – 102 – 112 – 109 – 119 – 116 – 126 • • •

3. Flipo le kangourou a fait trois bonds de 2 mètres.
Combien de centimètres a-t-il parcourus ?

4.

Madame Belley a 72 carottes.
Elle les place par paquets de 8.
Combien de paquets aura-t-elle?

5. **Quelles figures touchent à la frontière du rectangle bleu?**

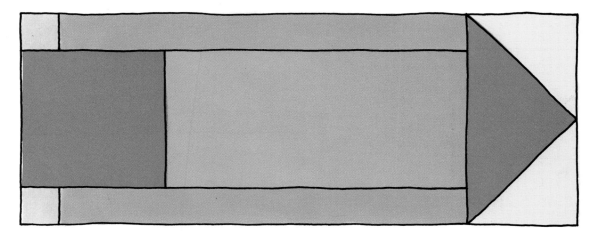

6. Dominique a gagné 306 points à sa quatrième partie.
Combien de points a-t-il accumulés jusqu'à maintenant?

7. Pour une pièce de 1 $, on te remettra dix pièces de 10 ¢.
Combien de pièces de 10 ¢ te remettra-t-on en échange de six pièces de 1 $?

8. Au jeu de dards, Benito a accumulé 360 points après trois matchs.
Au premier match, il a eu 104 points et au deuxième, 88 points.
Combien de points a-t-il gagnés au troisième match?

9.

Dans sa super collection,
Anaïs a 108 cailloux roses,
216 blancs et 407 gris.
**Combien de cailloux
ne sont pas roses?**

J'aurais dû
collectionner
les
papillons...

10.

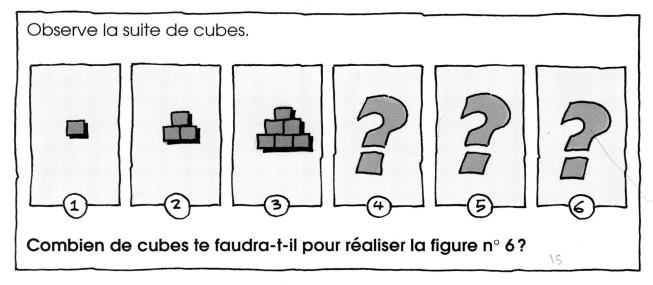

Observe la suite de cubes.

① ② ③ ④ ⑤ ⑥

Combien de cubes te faudra-t-il pour réaliser la figure n° 6?

15

11. **Combien de carrés de 1 cm sur 1 cm te faudra-t-il pour recouvrir ce rectangle?**

8 cm

6 cm

12. **Combien de morceaux de carton comme ceux-ci te faut-il pour faire une bande de deux mètres?**

1.
Si la touche 3 de ta calculatrice ne fonctionne pas,
comment procéderas-tu pour faire le calcul suivant ?

$$32 + 39 + 30 =$$

2. Observe cette suite de cubes.

**Combien de cubes faudra-t-il pour
réaliser la forme suivante ?**
Explique ta solution.

3.
Décalque cette figure dans ton cahier
et colorie-la en suivant les consignes.
Les régions qui se touchent doivent être de couleurs différentes.
Utilise le moins de couleurs possible.

Combien de couleurs différentes te faut-il ?

Drôle d'os...

4. Charles et Diane Brisebois ont gagné à la loterie de l'école.
   Charles a gagné 164 $. Diane, 36 $ de plus que son mari.
   Combien d'argent la famille Brisebois a-t-elle gagné?

5.

Combien de décimètres de ruban décoratif Bertrand devra-t-il acheter pour enjoliver chaque côté de son pantalon?

1m

6. Maxime échange 36 cartes avec Sophie.
   Sophie donne 1 carte chaque fois que Maxime lui en remet 4.
   Combien de cartes Sophie donnera-t-elle à Maxime?

7. François a quatre fois l'âge de Renaud.
   La somme des deux âges est de 40 ans.
   Quel est l'âge de chacun?

8. Thomas a 8 ans. Céline a deux poissons
de plus que Thomas.
Quel est l'âge de Céline?

9. Francine a parcouru 540 km en trois jours.
Elle a fait le même nombre de kilomètres chaque jour.
**Combien de kilomètres Francine a-t-elle
parcourus le deuxième jour?**

10. **Combien de pièces de 10 ¢ te remettra-t-on en échange
d'un billet de 5 $?**

11. Après quatre matchs, Julien a 640 points.
Mélanie a 285 points de moins que Julien.
Combien de points Mélanie a-t-elle?

12. Il y a 5 km entre les villes de Châteauguay et Mercier.
Il y a deux fois plus de kilomètres entre Mercier et Sainte-Martine.
Quelle est la distance entre Châteauguay et Sainte-Martine?

Pas de question 13?

C'est fini?

Je peux m'en aller?

Tableau d'adéquation entre le manuel et le guide d'enseignement

MANUEL page	titre	GUIDE D'ENSEIGNEMENT section	scénario	activité	MANUEL page	titre	GUIDE D'ENSEIGNEMENT section	scénario	activité
7	Journée de plein air	B	4	1	45	Multiplications sous observation	B	3	27
8	Des achats possibles	B	4	2	46	Continuons nos observations	B	3	28
9	Le jeu des échanges	B	4	3	47	Des costumes variés	B	4	21
10	Cartes de tout poil	B	4	4	48	La toile multiplicative	B	4	22
12	Trois formes	A	3	1	49	Plusieurs façons	B	4	23
13	Tableaux de figures	A	3	2	51	Questions de relations	D	3	1
14	Différentes figures	C	3	1	52	En rang, les amis!	D	3	2
15	Des figures spéciales	C	3	3	53	La nouvelle chambre	D	3	4
16	Cherchons les indices	B	2	22	54	Multi-bataille navale	B	3	32
17	Des pains à livrer	B	2	23	56	Mise en pages du journal	D	3	6
18	Jouets remis à neuf	B	4	6	57	Tours de magie	D	3	7
19	Des carrés ou des rectangles	B	4	7	58	Fais ton affiche	D	3	8
20	Des ballons de fantaisie	B	4	8	59	Qui sont les suivants?	A	3	10
21	Des chaises pour un spectacle	A	3	6	60	Le plan de ma ville	C	3	5
22	De plus en plus grand	A	3	7	62	Calculatrice et suites	A	3	12
23	Des cartes de jeu	E	1	3	63	Suites d'opérations	A	3	14
24	Où se cache la donnée?	B	2	25	64	Quartiers d'hiver	C	3	7
25	Ordre dans les problèmes	B	2	26	65	À l'affût des nombres	E	1	11
26	Le Monopoly	B	2	28	66	Des oeufs à tous les prix	E	1	7
28	Avec des dessins	B	4	10	67	La calculatrice	A	3	16
29	Club d'échange	B	4	11	68	Une phrase pour chaque problème	B	4	25
30	Compare les collections	B	4	12	69	Des problèmes doubles	B	4	26
32	Jeu de bonds	B	3	23	70	Toto, le lapin	C	3	10
33	Des prix imbattables	E	1	15	71	Épreuve 5	E	2	3
34	Calculs troués	B	2	29	74	Épreuve 6	E	2	3
35	Un tableau, ça parle!	B	2	30	77	Jeu de fléchettes	B	5	1
36	Au camp d'hiver	B	2	31	79	Me reconnais-tu?	C	4	1
37	Cherchons l'aire	B	4	13	80	Jeux à l'aveuglette	C	4	2
38	Des formes et des couleurs	B	4	14	81	Découvertes	B	3	34
39	Zéro, toujours zéro	B	3	25	82	Des observations	B	3	36
40	Les centres de ski	B	2	34	84	Des équipes mixtes	E	1	4
41	Vacances de neige	B	2	36	85	En équilibre	B	5	3
42	Les arts plastiques	B	4	17	86	Des balances symboliques	B	5	4
43	À moitié résolu	B	4	18	88	Termes manquants	B	5	5
44	Des figures géométriques	B	4	19	89	Jeux d'ombres	C	4	7